La disparition
de la langue française

Assia Djebar

La disparition de la langue française

ROMAN

Albin Michel

22, rue Huyghens, 75014 Paris
www.albin-michel.fr
ISBN 2-226-14165-0

À Djaffar L.
dont l'amour pour la Casbah m'a inspiré ce roman.

« Celui qui dit “je” aveugle... trébuchant et tombant
dans toutes les fondrières :
c’est le ciel, se dit-il, le ciel qui s’ouvre ! »

MOHAMMED DIB,
Neiges de marbre

PREMIÈRE PARTIE

Le retour

Automne 1991

« En terre obscure repose l'étranger. »

GEORG TRACKL

L'installation

1.

Je reviens donc, aujourd'hui même, au pays... « Homeland », le mot, étrangement, en anglais, chantait, ou dansait en moi, je ne sais plus : quel est ce jour où, face à la mer intense et verte, je me remis à écrire – non, pas le jour de mon retour, ni trois jours après mon installation dans cette villa vide. Moi seul ici et le cœur aussi vide, moi installé à l'étage du dessus, presque dépouillé de meubles – avec un mobilier rudimentaire, juste de quoi m'asseoir devant une table, avoir où dormir, disposer de quelques casseroles et d'un réchaud à gaz dans la cuisine, en sus d'une cafetière italienne usée qui semble encore valable, usée comme moi, mais « encore valable » comme moi !

Premier jour donc en « homeland », moi revenu « chez moi » dans le chez-moi qui m'est dévolu de l'héritage paternel, mes deux frères, tout contents que j'aie proposé la jouissance de cette villa face à la mer en échange de ma part dans la maison de maître de Hydra-Alger (trois fils et deux filles, donc un quart pour chaque frère, un seul quart pour les deux filles).

Ainsi s'envole mon imagination vers les rues de cette Casbah, juste avant les « événements », comme disaient les Français alors, mon père tenait un café, près de l'impasse des terrasses. Notre univers d'enfant restait limité à ce vieux cœur de la capitale, et nous appelions « Imazighen », les Ancêtres – non ceux de mon père (il se sentait fier d'être Chaoui), ni ceux de ma mère (née à la Casbah, mais de parents descendus du Djurdjura, elle ne parlait point kabyle et se voulait citadine, jusque dans son arabe raffiné) ; ces « Imazighen » devinrent pourtant nos héros, eux, les corsaires turcs qui avaient écumé la Méditerranée, ces « rois d'Alger » du seizième au dix-huitième siècle...

En ce jour de mon retour, allongé sur la terrasse, face à l'infini de la mer plate, je mélange tout en m'enfonçant dans ma sieste : mon enfance, les rues en escalier de mon quartier à la Casbah, mon amour précoce pour Marguerite – la seule fillette « roumia » de l'école – et jusqu'aux pirates du temps des Barberousse. Il fait chaud, le soleil me brûle le ventre, je somnole. De retour, soupiré-je dans la langue de ma mère (au lieu du berbère, le dialecte arabe d'el Djazira), je suis de retour et la Méditerranée me fait face, j'entends le clapotis des vagues au-dessous de ma terrasse, oui, je suis à demeure, « que le Prophète et ses épouses, comme s'exclamaient les femmes de la famille, me contemplent, et me pardonnent mes péchés ! » Tout bruissant des éclats de voix de ma mère disparue, mais vivante en moi, mais épanouie dans mon cœur, je m'assoupis dans un début de bien-être : vrai, je vis, je revis chez nous !

2.

Berkane est de retour après vingt ans d'émigration en banlieue parisienne. Il approche de la cinquantaine ; il en paraît dix de moins ; or, il s'est senti soudain vieux ou, plutôt, usé ; usé, alors qu'il est en pleine maturité, son anniversaire sera pour le 13 décembre prochain, il restera sans bouger, devant la mer, personne ne lui fêtera ce jour, on n'a jamais fêté les « jours de naissance » chez lui, sa grand-mère lui expliquait autrefois : « Pas parce que les Français seuls font de l'anniversaire une fête, non. – Alors, pourquoi ? demandait l'enfant. – Que le Prophète nous protège, ajoutait la voix des autres femmes, parce que cela porte malheur ! » Pas exactement vieux donc, non, ni même usé, ou tassé, non, comment définir cette sensation : « sans avenir » ? Ce fut ainsi, un matin, lorsqu'il s'était réveillé dans son studio de Blanc-Mesnil : « Sans avenir ! Je ne me vois aucun projet ! » avait-il constaté tout haut, et en français, alors qu'il tournait seul dans son logis – c'était au printemps dernier –, il avait, auparavant, fait part à ses deux frères restés à Alger (l'un, un haut fonctionnaire, l'autre, un journaliste) de son désir de renoncer à son quart d'héritage en échange de l'étage supérieur de cette villa de bord de mer, quoique un peu délabrée, mais faisant face à une immense plage, celle-ci le plus souvent déserte.

Berkane avait projeté, l'accord avec la fratrie

vite conclu, de revenir là, non pour y résider ; il avait pensé d'abord : « Le prochain mois d'août, j'aimerais le passer chez nous, avec Marise ! »

En ce mois de mars à Paris, il ne se voyait rentrer que pour se reposer l'été : à cause de la plage déserte et du sable blond croulant devant le portail, au bas de l'escalier de pierre de la villa blanche.

« Eh bien quoi », Berkane se réveille et son esprit a presque machinalement déroulé les jours précédents, puis le moment exact où il a pris sa décision irrévocable.

– Irrévocable ! répète-t-il, à voix haute, en français.

Il a un moment de surprise. « Pourquoi me parler ainsi seul et face à la mer ? » Cette pensée le secoue, comme s'il craignait quelque maladie sournoise, d'inattendus symptômes mal définis...

– Me voici en retraité qui déclame devant la mer ! ironise-t-il, cette fois dans la langue des aïeux.

Aussitôt en lui, sa mère, Halima, émet un long soupir presque rauque, voluptueux.

Car il a pris sa retraite, Berkane. Tout s'est fait très vite : deux semaines après que Marise lui eut notifié – dans un de leurs week-ends qu'il s'imaginait devoir se dérouler comme les autres, nonchalant et serein, ou tristounet peut-être – qu'elle le quittait, mais elle affirmait aussitôt après qu'elle l'aimait, qu'elle l'aimerait longtemps encore, etc. –, deux semaines après, il se réveilla un matin, téléphona à son directeur (il dirigeait un service administratif à la caisse de Sécurité sociale dans une banlieue voisine). Il déclara qu'il était grippé, qu'il allait consulter le médecin. Il n'alla pas chez le médecin, ni à son bureau, erra dans Paris, prenant un bus jusqu'au terminus, un autre bus, dans un autre sens, jusqu'au terminus, finit par s'immobiliser debout, sur un quai de la Seine, puis assis sur le rebord de pierre, les pieds ballants au-dessus de l'eau souillée du fleuve, oisif ou contemplatif, absent en somme, heures lentes jusqu'au crépuscule, jusqu'à l'heure nocturne où il rentra lentement dans son studio de célibataire : le silence l'envahit.

Un désert de pierre en lui : ou plutôt, peu à peu surgissant, l'image d'un mur haut, en briques bien serrées, de couleur ocre sale, cette muraille devant ses yeux surgissait pour lui barrer tout horizon, ensuite l'hallucination s'effaça, il respira, se leva, marcha sans but au-dehors, de nouveau un hamada, désert de pierres grises, apparut en lui – longtemps ces jours d'avril se déroulèrent ainsi jusqu'à ce que le taraudât le désir d'entendre les vagues. Quelles vagues, quelle mer, il crut que cela le renvoyait aux jours d'un bonheur capiteux, lors du précédent été passé avec Marise, à Salonique, non, ce n'était pas ça du tout, ce clapotis, si proche semblait revenir de plus loin, d'un arrière noyé profond, qui s'exhumait : il reconnut, incertain d'abord, puis sûr de lui, les murmures de la mer du temps où il était petit garçon, lorsque son frère aîné acceptait de l'emmener par le car barboter dans les rochers de la première plage (la plage Franco fréquentée par de petits Blancs et quelques Arabes), à l'ouest d'Alger. Ils mangeaient des oursins, revenaient le visage rougi, leur mère (« ma mère qui rit toujours en moi », ces mots flottent en lui, déchirés) lui imbibait les cheveux de vinaigre.

Il pensa à elle, à son mouchoir mouillé avec lequel elle lui tapotait, souriante, ses cheveux noirs, il s'endormait ensuite sur le carrelage du patio familial, la tête sur ses genoux : elle n'allumait pas le quinquet tout près, laissait l'obscurité insidieuse de la nuit les envahir tous deux et elle fredonnait pour « son » garçon (il se savait son préféré). Or, dans ce studio du Blanc-Mesnil, en s'endormant le soir, quinze jours après que Marise l'eut quitté, il entendit distinctement la voix maternelle dérouler le *Chant de la cigogne* dans la version de Tlemcen. Sa voix pâle était mélancolique, elle ne chantait pas vraiment juste, Mma, songea-t-il avec un remords douceâtre et il s'endormit ce jour-là, conversant intérieurement en mots menus avec elle, dans son parler à elle, un mélange de dialecte de la rue algéroise, parsemé de mots raffinés, à consonances andalouses – elle, née à la Casbah et qui dédaignait le parler rude des montagnes voisines.

Les soirs suivants, le même *Chant de la cigogne* lui revint dans un début de sommeil, il s'endormit successivement et à chaque fois avec la voix de Mma. « Non, gémit-il, elle ne me berçait pas, elle m'enveloppait ou, plutôt, les mots de sa poésie, son accent chantant et la dernière note de sa complainte qu'elle faisait tremblée vibraient indéfiniment... »

Il aimait tout oublier, Berkane, sa vie de banlieusard et le fait qu'il avait renoncé depuis des années à écrire « son » roman de formation. Il avait rangé ses manuscrits refusés successivement par les éditeurs de Paris, et même, une autre fois, par un éditeur renommé de province.

Une semaine sans discontinuer, il eut des veillées à la fois de tendresse et de nostalgie. Le quatrième ou cinquième soir, il ne savait plus si c'était vraiment sa mère ou la voix de Marise (elle aimait chantonner en espagnol) qui l'accompagnait jusqu'au cœur de sa nuit. Car il n'entendait plus les mots, seulement la mélodie, ou son ombre, et la tristesse de cette mélodie qui finissait, déchirante.

Il aborda les mois de mai et de juin, emmuré dans cette solitude hantée par des ombres. Quelques jours après, il se vit aller voir le chef du personnel, après avoir obtenu quelques renseignements comptables. Il étonna tous ses collègues en leur annonçant :

– Je vais prendre ma retraite anticipée. Pas une retraite complète, je le sais, la moitié, ou à peine un peu plus, de la pension normale. Mais, en décidant d'aller vivre au pays, cela me suffira bien !

Et pour couper court à la surprise de ses collègues, il haussa les épaules ; à l'un ou l'autre de ceux avec lesquels il se sentait quelque affinité, il se laissa à dire :

– Je vais me remettre à écrire ! J'aurai besoin alors de tout mon temps.

Il ajouta, mais pour lui seul : « Tout mon temps, avec la mer à mes pieds ! Et le silence ! »

3.

C'est vendredi, jour de répit ici, en pays musulman. La chaleur persiste en cette fin d'après-midi ; la torpeur dans le village. Chère Marise, je décide de t'écrire un peu à la va-vite, ou, plutôt, négligemment. Puisque tu me manques, puisque d'emblée je l'avoue aisément – sans accent de reproche, ni, à plus forte raison, sur un ton de jérémiades – je t'écris, c'est tout, pour converser et me sentir, le temps d'une lettre, proche de toi (tu retrouveras mes phrases trop longues qui vont et viennent, « en arabesques », disais-tu, quand, par indulgence, tu cherchais à me faire plaisir...) ; mais je commence.

Chère Marise,

Évoquer mon amour qui subsiste, qui renaît, face à la mer qui, chaque nuit, murmure en vagues lentes et répétées, comme si elle allait se glisser au-dessous de ma couche. En même temps, j'ai la sensation d'être venu jusque-là pour déposer ces deux décennies d'exil. Je ne sais ce qui résiste soudain en moi, dans ce projet de vouloir enfin écrire...

Cette lettre parce que, bien sûr, tu me manques, mais aussi parce que je sens un trouble inattendu en moi ; ce trouble, j'espère, à la fin de cette conversation silencieuse avec toi, l'atténuer, me retrouver simplement moi, sans questions superflues : ni sur ma vie ainsi choisie, ni sur le passé – surtout pas celui qui nous a noués, puis dénoués, mais, plus gris derrière, le flux de ces longues années écoulées en France sans but... S'agite en moi le pourquoi de cet exil si long et clôturé si tard – une interrogation ? Plutôt un flou, une équivoque dont j'ignore la nature et que, j'espère, mon soliloque développé devant toi, dans ces deux ou trois pages, éclaircira ou, tout au moins, chassera.

En ce jour d'automne lumineux – le ciel, ce matin, s'irisait, dans ma marche le long de la plage, de toutes les nuances possibles du rose et du mauve – je pense à toi, Marise ou Marlyse qu'importe, puisque je retrouve la coquetterie qui me poussait à t'appeler ainsi, par ton prénom de comédienne, justement aux instants les plus secrets de notre tendresse, ton pseudonyme pour le public (Mar-Ly-se !) – qui devenait, sur mes lèvres, le « chérie » que je ne sais pas prononcer spontanément, à la place, fusaient deux, trois vocables arabes de mon enfance, étrangement ceux de l'amitié, presque de la consanguinité, qui, s'accouplant à ton nom de théâtre, exprimaient mon attendrissement...

Pourquoi évoquer ici nos enlacements, alors que je ne peux t'écrire en mots de ma tribu, exprimer le manque que je ressens de toi, de ces instants où mes lèvres, mes mains approchaient ta peau, parcouraient ton corps dans ses moindres recoins ?

Les mots de notre intimité, et leurs sons dispersés, tu les entendais comme une musique seulement. Te souviens-tu qu'il m'arrivait de m'attrister que tu ne puisses, à l'instant où nos sens s'embrasaient, me parler en ma première langue ! Comme si mon enfance, au cœur même de nos étreintes, ressuscitait et que mon dialecte, resurgi malgré moi, aspirait à t'avaler.

Marise-Marlyse, te dire que mon amour se

gonfle à présent par la séparation même et dans l'étirement de ce retour. En même temps, mon désir de toi devient marée haute dans cette absence voulue et pourtant si lourde...

Quelquefois, la nuit, quand je m'endors dans cet inconfort ou cette frustration, je ne choisis pas, je n'élucide pas, mais, réveillé en sursaut, au sortir d'un rêve épais, malformé, un mauvais rêve sans qu'il s'agisse d'images, plutôt du malaise de la chair et du ventre, presque du bas-ventre, je me réveille, mémoire embourbée, ne sachant ni où je suis, ni parfois qui je suis, et ce malaise qui cherche à se vomir presque, oui, par deux fois cet étrange réveil, ce désarroi au cœur, en pleine nuit et en totale solitude, m'a fait me dresser, yeux ouverts d'idiot ou d'effaré, puis juste avant de reprendre conscience, la minute suivante paraissant interminable – comme se réveillerait une bête sur sa paillasse, une jument à l'écurie ou un dogue, tout près au pied de votre lit, dans une proximité de menace –, ayant oublié et mon retour, et surtout la mer au-dehors, à moitié réveillé, alors une faim sexuelle, vorace, me secoue, ton corps blanc ivoire se présente, ton nom s'éclaire : Marise-Marlyse, ce double prénom amène lentement le calme de mes sens, moi, un mâle taraudé par une si longue chasteté, puis la conscience réaffleurée, celle de mon retour au pays, me saisit, me ficelle, m'emprisonne...

Je m'arrache à cette nuit d'inassouvissement de la chair, je redis ton nom avec toute la tendresse que tu me connais, je me remplis du souvenir de toi, non pas de ton corps dont j'ai faim, non, de toi-toi – toi qui, un soir, m'as expliqué lentement pourquoi tu voulais me quitter : « Pour toi, disais-tu, et pour moi ! Pour notre bien ensemble. Je te quitte parce que je t'aime, mais aussi parce que je m'estime moi-même ! »

Pourquoi redire ici tes arguments ?

Je t'avoue ces deux ou trois mauvais réveils, où tout, inextricablement, se mélange : le choc de mon retour et la tristesse de t'avoir quittée, le fait, certes, que je ne m'approche plus d'une femme depuis six mois, et la constatation que j'aime ma solitude, que je l'ai choisie, mais qu'à minuit, lorsqu'un orage d'automne dehors énerve mes sens, c'est le petit garçon, ressuscité, qui a peur de ce retour au pays natal... « Que t'arrivera-t-il sur cette terre ? » Une voix perdue resurgit, elle crie, elle me tire hors de moi, et si j'écris pour te la dire, cette voix dérangeante et obscure, c'est pour comprendre le pourquoi de cet effroi rallumé dans le noir.

Aujourd'hui, ma lettre est conversation de l'aube. Rien à dire, ce matin, au terme de ma promenade, au pêcheur d'oursins qui traîne devant les rochers à l'autre bout de la plage. Il a la trentaine ; je lui parle toujours dans le dialecte local, celui de mon quartier de la Casbah qui permet une complicité discrète, une sorte d'appel à la complaisance mutuelle. Nous échangeons des banalités ; son regard est pétillant de malice. Il semble flatté, après quelques jours et des cigarettes fumées de concert au pied de mon escalier ; certains soirs, il paraît attendre de moi des confidences. Que pourrais-je lui confier pour mériter cette attente de son regard :

– Tu sais, Rachid, devrais-je avouer, j'ai quitté (ou plus exactement : « m'a quitté ») une jeune femme du pays d'en face, plus jeune que moi, une si belle comédienne... Depuis que je suis parti, je lui écris !

Rachid me répondrait, pour prolonger le début de confiance, et sur un ton léger, chargé de sous-entendus :

– Les femmes... seulement leur écrire ?

Je verrais ses prunelles étinceler, son sourire rider ses pommettes, ses traits se tirer, l'expression de naïve curiosité deviendrait celle d'un adolescent avide, sans même savoir de quoi, car il ne m'envie ni la maison ni mon apparente oisiveté (ma voiture est toute cabossée, mon jean est le même, à quoi ça sert d'aller chez les Françaouis si je ne reviens pas, sinon avec une dame blonde, au moins avec voiture et fringues de bourgeois d'ici ?). Malgré tout, il continue à m'observer : j'ai de la chance, j'ai longtemps habité les pays du Nord, je transporte avec moi des moissons de souvenirs, des souvenirs de femmes, de femmes de là-bas, et il soupire :

– Ah, les femmes !

Je n'ai guère envie d'évoquer avec lui mon passé. J'entends ta voix, Marise, le flux de tant de mots qui ici s'évaporent entre le pêcheur et moi !

Rachid est venu s'asseoir sur ma terrasse. Il a proposé de m'ouvrir quelques coquillages, « avec du citron, si tu en as, dans ta cuisine », a-t-il ajouté dans son parler nonchalant.

Le soir précédent, il avait partagé avec moi mon frugal casse-croûte, notre conversation s'était transformée en mon écoute de la chronique villageoise, de la peur disparue dans les hameaux proches, après « ces années de plomb ».

Quand il a été parti, je me suis mis à t'écrire, avec ardeur, comme si cette conversation au pays me faisait perdre quoi donc, une musique ? Je ne sais : je ne parle avec lui que mon dialecte, depuis mon arrivée, avec l'excitation d'avoir retrouvé une sorte de danse verbale de tant de mots perdus, d'images ressuscitées, un ton...

Je continue, cette plongée sonore, je la poursuis avec Hamid, l'épicier kabyle (nous avons convenu que nous sommes des joueurs de dominos de force équivalente).

Mais il a suffi de ce soupir de Rachid : « Ah les femmes ! » Un trouble m'a saisi. La nostalgie de ta voix, de nos propos, de nos dialogues de la nuit, de ton corps que je ne caressais pas seulement de mes mains, te souviens-tu, mais avec mes mots aussi, avec mes lèvres et d'autres mots, brisés, proférés entre nos baisers – ce parler à nous deux seuls, où tout se mêle, petits mots tendres, petits cailloux blancs dans un ruisseau, les tiens que j'égrène, un refrain revenu, mais aussi mes mots d'enfant, ceux de ma mère, tu ne comprends rien à ce babillage arabe que j'adresse à ta peau, à tes seins, à ton entrejambe, j'invente des diminutifs pour toi, jusque dans la langue maternelle, tu ris, tu te courbes pour les entendre, je te les glisse au creux de l'oreille, je les coule le long de ton cou, tu vas les comprendre, ils te pénètrent, sans que je les traduise, Marise/Marlyse, j'ai en mémoire tactile tout cet idiome particulier à nous deux, métissage de mon dialecte et de ton français, ta demande, ardente prière, se prolonge en moi jusqu'ici : « Répète, répète pour moi », je ne reprenais que ton prénom doublé, avec ses deux *r* roulés, je riais, nous nous inventions une complicité de nos souffles mêlés, je ne peux qu'être tendre ainsi avec toi, uniquement avec toi, je revis ces instants dans ce village de pêcheurs et de jardiniers, face à la plage déserte...

Mais tu n'es pas là, nos parlers accouplés s'effacent, pourrais-je, si tu me rejoignais ici, devant cette plage et dans cette maison froide, t'envelopper à nouveau de mots-fleurs comme à la gare du Nord ?

Pourquoi s'entrecroisent en moi, chaque nuit, et le désir de toi et le plaisir de retrouver mes sons d'autrefois, mon dialecte sain et sauf et qui lentement se déplie, se revivifie au risque d'effacer ta présence nocturne, de me faire accepter ton absence ? Serait-ce que mon amour risque de se dissiper, toi devenue si lointaine ?

Je dis, pour toi et pour que tu le lises, ma nostalgie – *el-ouehch* – de toi. Je me suis traîné sur ces lieux pour y rester, pour y écrire. Mais y vivre ?...

Berkane

Lent détour

1.

Ma lettre écrite à Marise il y a trois ou quatre jours, je ne sais plus, je ne l'ai pas cachetée, je ne la relirai pas, elle reste posée sur le bureau de bois blanc, à côté du bloc de papier jaune et de l'encrier.

Je suis presque toujours dehors ; mon appareil Leica dans ma poche, en jean, chaussé d'espadrilles et portant un pull à col roulé, j'ai parcouru en voiture quelques hameaux voisins, sur les collines ; j'ai marché matin et soir le long de la longue plage. Parfois, j'ai fait la sieste : « Un retraité, je deviens ! » me dis-je paresseusement en ces premiers jours d'octobre. « Est-ce pour cela que tu es rentré au pays ? » Une voix en moi, même pas ironique. Dans l'attente ; je suis en attente.

Si Rachid le pêcheur ne remonte pas toujours jusque-là pour m'apporter ma ration journalière de poissons – contrat convenu il y a peu : je le paye à la semaine et « au prix de gros », me promet-il avec un rire, « prix de gros, mais poissons du jour, ou de la nuit même ! » claironne-t-il, fier d'être à la fois mon fournisseur et mon ami. Parfois il s'assied sur les marches de l'escalier, près du portail qui ouvre directement sur le sable. Je m'attarde avec lui, certains jours.

Je le remercie. Je ne fais pas frire le poisson. Je lave les petits rougets, un ou deux merlans ; pas les calamars que je paye, mais que je ne veux pas nettoyer :

– Il faut en enlever l'encre ! Mon encre à moi, sur le bureau, me suffit, ces calamars, je te les offre !

Plus tard dans la matinée, je prépare les autres poissons ; j'y ajoute quelques herbes, un peu de safran et je les fais cuire en papillotes. Avec citron et fenouil (grâce à Rachid qui veille encore à tout), je mange légèrement.

Ensuite, café après café. Si je ne pars pas sur les routes, je paresse à faire la sieste, à me droguer encore de café. Un loir, je suis devenu : un retraité et un loir, les deux à la fois, et le soleil d'automne inonde ma chambre de travail... Quel travail ?

J'ai pris quelques photos. Pas au hasard, au flair. Comme si je m'assurais une récolte inattendue, un butin personnel. Pour ainsi dire, comme si je commençais à me laver les yeux ; m'avancer, en trébuchant, pas à pas, conscient enfin que je suis vraiment revenu !...

Certains matins, à cause d'une nuance éphémère de la lumière – la plage déserte : à moi seul, ce vierge et mouvant royaume –, je n'en reviens pas d'être là ; de retour. Vraiment ? « Je suis tout à fait là ? » La voix qui interroge en moi vogue des mots français à ceux de ma mère – celle-ci, pour toujours, assise dans son humble patio de la maison d'enfance, rue Bleue, à la Casbah –, elle vacille, hésite d'une langue à l'autre, d'une rive à l'autre : ma mère en moi s'étonne, ses yeux m'interrogeant... Ce jeu muet m'habite, une ou deux fois, à chaque aurore. En vérité, en cet espace, et la mer devant moi, plate mais étincelante le matin, je vis ma solitude comme un cadeau !

Est-ce que ce serait la paix ? Au loin, face à moi, s'esquisse comme une silhouette de nymphe, visible par éclairs, pour moi seulement ?

J'irai, la semaine prochaine – je l'ai décidé – à la capitale donner à développer mes premières images du Sahel chez Amar, un ami photographe.

J'ai fait plusieurs prises de cette heure matinale – six heures, ou six heures et demie, lorsque l'aube va s'épuiser : quelques vapeurs au-dessus de l'eau, une écume de vague. Tout près, sur le rivage, un frémissement d'eau ; en arrière, un bosquet de roseaux ou le début d'un toit de tuile, sur le côté du cadrage...

Dans mes pérégrinations jusqu'aux villages alentour, j'ai redécouvert une petite ville endormie, autrefois lieu de pèlerinage ; à mon arrivée, au détour d'un sentier poussiéreux, une humble mosquée apparaît, avec sa coupole à demi délabrée : c'est le tombeau d'un *ouali*, oublié de tous, sauf de quelques vieilles dévotes de la région.

Cette *kouba*, je l'ai saisie, trois jours de suite, sous un même angle, une fois les femmes en prière reparties : le ciel gris derrière, vert d'eau, comme si ce dôme en demi-lune s'était noyé non dans l'azur mais plutôt dans une eau invisible ou dans des nuées diffuses.

Mon idée, en descendant à Alger, serait de faire développer plusieurs tirages de cette coupole avec ce ciel haut et limpide, j'en ferais une série de plus en plus délavée. Choisir ensuite une épreuve, l'agrandir le plus possible, la fixer dans ma chambre face à mon lit, sur le mur blanchi à la chaux.

Certains matins, je pourrais ne plus me lever : la contemplation de ce paysage, avec le bruit proche des vagues, par la fenêtre ouverte, me suffirait. Dôme d'autrefois oublié dans son austérité épargnée, égaré comme dans un ciel marin... Je me plongerais dans cette vision ; je finirais par m'endormir : dans l'illusion de m'évader, je croirais m'en aller ! Être de retour et, pourtant, enfin m'en aller... Mais il faut décider de me rendre à Alger. Amar, le photographe a son laboratoire place des Martyrs que je continue d'appeler en arabe place du Cheval, comme si, aux premiers jours de l'indépendance, l'été 62, la statue équestre du prince d'Orléans n'avait pas été déboulonnée par une foule enthousiaste...

Le mois d'octobre s'écoule, lumineux. Chaque matin, je me réveille, si léger ; je ne m'installe pas encore à ma table de travail. Hier, Marise a appelé. Je ne sais comment elle a su que j'avais ici le téléphone, sans doute a-t-elle parlé avec mon jeune frère.

Je n'ai pas posé de questions. Je lui ai raconté brièvement mes travaux de photographe amateur.

– Demain, j'irai à Alger, lui dis-je. Je prendrai quelques vues des rues où je courais, enfant en culottes courtes.

– Sois prudent ! répond-elle après un silence.

Elle allait questionner. J'ai compris : « Cette région, ce village, es-tu en sécurité ? Vraiment ? » Mais elle n'a pas osé.

Mon ton de retraité tranquille et paresseux l'a rassurée. Je lui ai décrit minutieusement le ciel de ce matin. J'aurais voulu qu'elle me dise quelle robe elle portait, tandis qu'elle me parlait. « Bisou ! » a-t-elle conclu, comme si elle m'appelait du hameau d'à côté.

J'ai posé l'appareil. J'ai eu vraiment envie qu'elle débarque, sans me prévenir... Je l'ai désirée, une fois le contact téléphonique suspendu ; le son de sa voix, l'image soudain vivante de son bras nu, de son aisselle, celle de sa main qui venait de reposer l'appareil, dans sa chambre, près de son lit, là-bas... Surtout le rythme de ses mots, le ton chantant et resté présent de sa voix, soudain là, tout près de mon lit, qui me suit.

À la sieste le même jour, j'ai rêvé d'elle. De Marise-Marlyse, les deux prénoms se penchaient, telle une vague, sous mes paupières. J'ai eu un désir prégnant de son corps, longuement, entre les draps que j'ai froissés, dans cette chambre nue à la fenêtre restée ouverte.

Je me suis précipité, d'un saut, hors du lit, jusqu'à la douche. Enfilant à la hâte mon maillot, j'ai dévalé l'escalier de pierre ; j'ai plongé dans l'eau, malgré le début du froid. Après quelques brasses, je suis remonté en courant. J'ai fait couler une douche sur moi. Je me suis mis à écrire, sans même prendre un café. Écrire rageusement, comme si la nuit m'entourait, et non ce soleil de fin d'après-midi...

Demain, très tôt, j'irai à la capitale, ou plutôt dans ce cœur ancien que je sais, hélas devenu misérable... *El Bahdja*...

2.

La nuit suivante, Berkane, taraudé par le désir persistant de la voix, du bras nu, des seins étalés à plat et du corps endormi de l'absente – Berkane n'appelle plus son amante Marise, ou Marlyse, ni les deux prénoms accolés, mais « l'absente », alors que, allongé, la fenêtre devant lui restée ouverte sur la mer d'encre, dans une nuit sans lune, son attente de mâle travaillé par une longue chasteté la quémande, elle, et pas n'importe quelle femme connue ou inconnue. Il finit par s'endormir d'un sommeil mouvant, il s'imagine ensuite se réveiller à Paris, un des week-ends à l'Hôtel de la gare du Nord, l'absente pas tellement absente étant probablement descendue apporter le plateau du petit déjeuner, avec croissants et café brûlant. Il replonge dans un sommeil plus noir, solitaire...

Il rêve cinq minutes au moins, le temps d'une scène entière qui n'en finit pas, dont il émerge, le cœur battant d'affolement. Les yeux ouverts, réveillé difficilement, il fait redérouler le rêve, scène après scène : tranche de vie lointaine qui s'étire. Dans cette demi-aube, sans bouger, il s'abandonne. Il revit un effroi assez confus de petit garçon ! Il a six ans, ou cinq. Et il regarde, voracement, un corps d'homme suspendu, de dos et dont les jambes, en l'air, très haut – par rapport à lui, garçonnet au regard figé – oui, dont les jambes gigotent.

– Le Français ! crie une voix à côté de lui.

– C'est lui, le boucher !

Toujours, dans l'espace, les jambes s'agitent une, deux fois, avec désespoir, l'homme suspendu est vivant, ou à demi vivant, ou en train de mourir !

L'enfant s'était retrouvé peu avant dans une foule vociférante, ou joyeuse, il ne sait plus, il suit le flot, dans son quartier, l'une des institutrices les avait lâchés juste avant : « Vite, rentrez chez vous, ne traînez pas ! » La foule, dans la rue, semblait gaie, excitée ; il entend, loin, au-devant, un chant de marche, et même un long youyou de femme, lancé d'une terrasse. Berkane piétine au milieu des grands, il suit le flot, il reconnaît même l'atelier d'ébénisterie de monsieur Kobtane, son fils est avec lui, dans la même classe.

Soudain, des cris fusent des premiers rangs ; une bousculade. Il voit, dans une trouée, le boucher français, un petit gros, sur le devant de sa boutique, qui brandit quelque chose à la main, un pistolet... Deux détonations suivent. « Il a tiré ! Il a hurlé des menaces ! » crie quelqu'un, à côté de Berkane, en arabe. La panique.

Un grand cercle s'ouvre devant eux. L'enfant aperçoit, à quelques mètres, tout près, un homme à terre, qui tente de se relever : il a du sang à la main et à la poitrine. Deux hommes de haute carrure soulèvent aussitôt le blessé ; d'autres se ruent sur le boucher. Des cris stridents : « *Allah Akbar ! Allah...* » L'enfant se dit : « Ils crient comme à la mosquée ! »

La tête levée – car lui, tout ce temps, il ne croit pas avoir bougé –, il revoit le corps du boucher, cette fois de dos et en l'air : un grand gaillard, aidé d'un autre, vient de pendre l'homme tenant toujours le revolver, au crochet de sa boucherie. Revient l'image choc du rêve : des jambes courtes, de dos, gigotant dans l'espace, là-haut, au-dessus du petit Berkane au regard épouvanté.

Une clameur enfle :

– Ô frères, attaquons le commissariat ! Allons leur prendre les armes !

Berkane, bousculé, se dit : « Je ne regarde pas, je... »

Il a tourné le dos, le petit Berkane ; son effroi a disparu. Il fend en sens inverse la foule, court d'une traite jusqu'à la rue Bleue, la maison, le patio, sa mère, enfin !

Elle est assise à même le carrelage, il lui tombe dans les bras, contre sa poitrine, il hoquette, lui, le benjamin de sa mère. Elle l'étreint, le console, interroge.

Plus tard, son grand frère est arrivé.

– Cinq des nôtres sont tués dans l'attaque du commissariat qui a brûlé. Des patrouilles de policiers ont encerclé aussitôt la Casbah !

– Tout le monde est devenu fou ! s'exclame une voix, près de lui...

Le noir envahit tout, c'est la fin du rêve.

Quelques jours plus tard, mais toujours dans les bras de sa mère Mma Halima, l'enfant avait parlé du « chiffon aux trois couleurs, avec du vert, du rouge, et du blanc ! » que la foule agitait aux premiers rangs. « C'est pour le voir que j'ai suivi leur marche désordonnée ! » se dit-il et il comprend, en voulant ordonner à présent son récit, il comprend que le boucher a menacé justement à cause de ce chiffon.

– Ne dis pas « un chiffon », c'est un drapeau ! est intervenue sa mère.

Et Berkane de s'exclamer :

– Ce drapeau, ce n'est pas le même que celui qui est à la porte de l'école !

– Ce drapeau que tu as vu, c'est le nôtre ! a répondu sa mère, les yeux brillants.

– Ah bon, s'étonna l'enfant, nous en avons

un ? C'est la première fois que je le vois ! Pourquoi alors on le cache ?

– Parce qu'on doit le cacher, c'est tout ! a rétorqué la mère.

Puis elle s'est adoucie ; a expliqué même avec patience :

– L'autre, celui qu'ils affichent à la porte de l'école, c'est le leur !

La logique semblait sans faille : chacun son drapeau, sauf que « le nôtre, on le cache, mais pourquoi ? ».

Ce dialogue s'incrusta dans la tête de l'enfant qui oublia tout : la scène de rue, et même le boucher suspendu de dos, lui dont les jambes gigotaient dans le vide. Il ne garda en mémoire que le drapeau, le nouveau « avec du vert » qu'il voyait pour la première fois ; « le nôtre ! » avait précisé Mma, différent de celui de l'école, « le leur ». Cette symétrie qui a rassuré l'enfant l'aida à oublier la violence de la foule, ce jour de la manifestation.

Berkane remet son déplacement à Alger au lendemain. Il traîne sur la plage, bavarde comme d'habitude avec Rachid le pêcheur ; échange quelques banalités sur le temps – Rachid pense ne pas prendre la mer, la nuit prochaine : la radio a annoncé une tempête imminente...

– On se passera de poissons, demain ! D'ailleurs, je pense aller à Alger !

Rachid s'attarde et, tout naturellement, Berkane l'invite à déjeuner.

Deux heures après, sur le balcon de la cuisine, les deux hommes conversent. À quel moment Berkane évoque-t-il cette première manifestation nationaliste – il avance l'épithète avec détachement, il s'aperçoit que le rêve de la nuit le poursuit encore, il ne peut s'empêcher de préciser, devant la curiosité de Rachid :

– C'était en 52 !

– En 52, déjà ? s'étonne l'autre.

– J'avais six ans, reprend Berkane. C'était ma deuxième année à l'école française. Dans cette rue de la Casbah, j'ai vu, pour la première fois, notre drapeau à nous !

Il ne veut pas s'enfoncer dans la chronique politique, après tout, le pêcheur est bien jeune, la trentaine, il reprend simplement le fil de ses jours d'enfant. Attendrissement ou joliesse des images de cet âge, il préfère l'évocation gentille au mélodrame que ceux de sa génération affectent d'ordinaire, dans toute évocation de leur passé :

– Toi, remarque Berkane, en 52, tu ne devais pas être né !

– Je suis né cinq ans après l'indépendance, confirme Rachid. Pour moi, le drapeau algérien et les manifestations autour, à Alger, des femmes, des hommes et des enfants de tous âges, qui ont manifesté, avec force, c'était, m'a-t-on dit, en décembre 1960 ! Auparavant, on ne parlait que du maquis, non ?

– Dans mes souvenirs, explique Berkane d'un ton de pédagogue, bien avant notre guerre commencée en 54, les revendications liées à notre quartier ont éclaté ce jour-là, exactement en 52... J'étais môme !

Berkane verse dans le charme convenu de la « scène primitive », évite d'évoquer sa mère quand, bouleversé par la violence de la rue, il s'était réfugié dans ses bras. Le souvenir d'un épisode survenu quelques jours plus tard s'impose à lui : un bon et évident « premier souvenir d'école ».

– Après tout, poursuit-il, presque pour s'excuser – alors que la conversation s'est engagée, pour une fois, en français, un français ordinaire, un peu passe-partout ; pour ne pas intimider le pêcheur plus à l'aise dans son dialecte, Berkane replonge dans l'arabe masculin des rues de la Casbah d'autrefois : il en retrouve aussitôt les nuances, les subtilités, quelques rondeurs – chacun de nous a son souvenir d'école... Eh bien le mien (il rit à demi, se détourne de son rêve de la nuit), c'est une gifle retentissante que je reçois de l'instituteur français !

Rachid, yeux élargis, devient un auditeur fasciné, comme s'il pressentait quelque « merveilleux » d'un autre âge – la période coloniale si lointaine pour lui, presque vingt ans auparavant.

– Je me souviens, ce jour-là, commence Berkane, dans la classe, j'entends, comme si c'était aujourd'hui, l'instituteur nous ordonner : « Faites chacun un dessin : tenez, un bateau sur la mer, un dessin en couleurs, avec le drapeau sur le mât ! »

Mon voisin, à ma table, était un petit Espagnol, même que sa mère, une marchande de fruits au marché de la Lyre, venait parfois le chercher, et nous, les Arabes, on se moquait de cette habitude. Donc, mon voisin européen se met à dessiner, moi, moins doué que lui, je regarde ce qu'il fait, je lui emprunte ses couleurs : la couleur bleue pour la mer, la noire pour dessiner le mât, puis il faut colorer les vagues et le ciel. Mais le maître a dit : « le drapeau ».

Mon voisin, il est déjà à crayonner son drapeau : « bleu, blanc, rouge » ; moi, juste après lui, je lui emprunte ses crayons : on s'entend bien, lui et moi. Sauf que je me dis aussitôt : « Pour moi, je n'ai pas besoin du bleu ! Eux, c'est le bleu, et nous, c'est le vert ! »

Je cherche, sans façons, dans la boîte de mon voisin, la couleur verte qu'il n'utilise pas, je me dépêche, je suis content de mon dessin, je colore de vert mon drapeau où il y a déjà, comme chez Marcel, du rouge et du blanc, mais je me répète : « Nous, c'est le vert ! » Je viens à peine de finir : je suis tout fier de moi, même si je ne dessine pas aussi bien que mon voisin.

Le maître derrière nous, je pense qu'il va simplement passer, rangée après rangée, mais il reste immobile, derrière nous deux. Moi, j'ai fini. Encore une fois, je me sens fier : j'ai fait vite, j'ai dessiné avec ardeur.

Le maître, soudain, s'étonne :

– Ça, c'est quoi, ça ?

Ah, il s'adresse à moi ! Moi, naturel, quoique un peu hésitant :

– C'est mon bateau, msieur !

Il reprend plus haut, d'un ton vif, son doigt plaqué sur mon bateau :

– Mais ça... ça... c'est quoi ?

Sous son gros doigt, au-dessus du mât du bateau, mon drapeau pourrait presque flotter.

– C'est mon drapeau, msieur !

– Et lui, chez Marcel, c'est quoi ?

Un silence dans la salle. Moi qui ne comprends toujours pas, qui réponds quand même :

– Lui, c'est son drapeau à lui, msieur !

Soudain, le maître me prend par l'oreille, me soulève à demi et se met à crier, à hurler :

– Lui, Marcel, je le vois bien que c'est notre drapeau tricolore, mais toi, qu'est-ce que c'est que ça, sale...

Il me fait lever, toujours par le bout de mon oreille, ma chaise tombe derrière, les enfants se tournent en silence. Moi qui ne comprends toujours rien, qu'est-ce qui lui prend, le maître ? Je réussis tout de même à dire, avec un soudain entêtement – de cela, je me souviens avec précision :

– Lui, c'est son drapeau... et moi, c'est mon drapeau !

Certes, je me rappelle ce que m'a dit ma mère. Mais quoi, je suis un enfant arabe, on n'évoque pas sa mère hors de la maison, et surtout pas en classe, devant « eux » !

De plus en plus furieux semble le maître. Il m'insulte, il crie de plus belle, il me traîne toujours par l'oreille et m'emmène, d'un trait, chez le directeur :

– Petit voyou ! Qui t'a montré cela ?

Il a pris mon dessin dans son autre main... Nous voilà chez le directeur. Le maître exhibe mon dessin, l'objet du crime. Je suis l'accusé. Le directeur, plus froidement :

– Qui t'a montré cela, petit ?

Moi, je répète :

– Marcel, il a dessiné son drapeau, moi, j'ai dessiné le mien !

Cette fois, une gifle retentissante du directeur me fait tourner la face et celui-ci conclut, sans hurler par contre, mais glacial :

– Tu ne remettras pas les pieds à l'école si tu ne reviens pas avec ton père !

C'est une catastrophe pour moi. Mon père va devoir fermer son café ; auparavant, c'est sûr, il va me frapper avec son ceinturon en me disant : « Tu as fait certainement une bêtise. » Car, je n'ai pas de chance, moi : dans tout mon quartier, je suis le seul enfant arabe à avoir un père pour lequel l'école des Français, c'est sacré !

3.

Durant les jours passés avec Marise, à Paris, j'ai évoqué souvent ma mère ; jamais mon père, comme s'il m'était difficile de le transporter, par la mémoire, jusqu'en France – la France qu'il a connue avant moi, en tant que soldat français de la Seconde Guerre mondiale.

Je fais cette remarque, le soir, en allant rejoindre mon autre copain du village, l'épicier joueur de dominos. Je passe par le chemin de la plage, jusqu'à un coin des rochers ; je monte quelques marches au milieu d'un massif de figuiers de Barbarie. On débouche impromptu sur une placette en hauteur, qui tourne le dos au monde de la plage.

C'est un des centres du village : plusieurs échoppes ; des vendeurs de poulets ; un barbier ;

un café maure fruste, où se retrouvent quelques villageois avec coiffe traditionnelle et pantalons bouffants. Pas le moindre estivant, ici : en tout cas, jamais hors saison !

Mon ami Hamid tient, sous un préau, l'épicerie la plus cossue du village. L'intérieur de sa boutique regorge de richesses : épicerie courante d'un côté ; au fond, une droguerie, plus un coin de journaux quotidiens et hebdomadaires, en arabe et en français.

C'est en venant acheter la presse que j'ai sympathisé avec Hamid. Il a commencé par me proposer de me réserver ma ration quotidienne de journaux. Quand il a remarqué l'heure tardive de mes visites, il s'est mis à m'offrir le thé à la menthe.

J'ai commencé par observer sa partie de dominos où il gagnait successivement sur ses partenaires. Je n'ai pu m'empêcher de faire quelques observations sur son jeu. Ce fut lui qui, en connaisseur, me proposa de nous mesurer, lui et moi.

À la campagne, ai-je pensé alors, les affinités les plus simples se devinent aisément ! J'ai ajouté dans mon for intérieur : Les secrets, c'est une tout autre affaire !

En rejoignant Hamid, le joueur de dominos, j'ai l'esprit entièrement habité par mon père. À cause du souvenir de monsieur Gonzalès, le directeur d'école qui avait laissé tomber son verdict : je devais revenir avec mon père, sinon plus d'école du tout, éventualité que, soudain, même âgé de six ans, j'ai considérée comme un choix possible : « Et si je ne disais rien à mon père ? Si je faisais semblant, chaque matin, de quitter la maison, bien habillé, comme pour l'école, qu'après je m'entende avec quelques voyous, plus âgés, qui avaient la chance, eux, de ne pas aller à l'école ? Ils me montreraient où passer mon temps, où me cacher, jusqu'à midi et de nouveau, après le déjeuner que me préparait avec soin ma mère, de nouveau retourner, je ne sais où, sur les quais du port, pourquoi pas, ou dans ce quartier, voisin du nôtre, celui où mon frère aîné m'avait interdit d'aller :

– C'est bien simple, m'avait-il recommandé un jour, dans la rue du Delta et la rue Sophonisbe, tu verras des cartons sur des portes des maisons, bien en évidence et, comme tu sais lire le français, là où tu lis « ici, maison honnête », eh bien, c'est simple, tu ne dois pas aller là !

Moi, avec ma logique déjà affûtée, j'avais protesté :

– Puisque c'est « honnête », on peut justement y aller !

– Non, absolument pas ! Est-ce que devant la maison de ton père, et des voisins de notre quartier, on a besoin de mettre une pancarte comme celle-là, en français ? N'oublie pas, d'ailleurs, quand c'est écrit en français, il faut, presque tout le temps, comprendre exactement le contraire ! Tu entends, gamin !

Et moi, qui n'aimais jamais le ton que prenait mon frère avec moi :

– Pourquoi une pancarte où c'est écrit « honnête », ça ne serait pas honnête justement ?

Ali dit Alaoua, mon terrible frère aîné (il avait au moins quatorze ans, tous le craignaient dans notre rue, petits et grands – et ça, pensai-je, est-ce une réputation *honnête* ?), comme s'il lisait dans mon regard, mon frère m'envoya une claque retentissante :

– Fais confiance à ton frère aîné ! C'est moi qui sais ! (Puis il sourit, comme s'il regrettait de m'avoir trop tôt giflé.) Dans ce quartier de voyous, je te répète, tu ne dois pas aller, sous aucun prétexte : si, sur quelques portes, pas toutes, sur quelques-unes seulement, il y a marqué – et en français – « maison honnête, ici ! », cela veut dire que, juste à côté, c'est une maison pas honnête ! Tu as pigé ? Voyous, t'ai-je dit, c'est un quartier pour voyous ! Si je t'y vois, un jour...

Il suspendit sa main en l'air, il prenait vite, le frangin, l'habitude de m'envoyer des claques en série... Or moi, très logique malgré mes six ans, je m'étais dit, en lui tournant le dos – je me souviens d'ailleurs qu'à cette époque, je le haïssais, mon frère : « S'il me dit qu'il peut se trouver un jour, dans ce quartier, des maisons honnêtes/pas honnêtes, eh bien, ça voudra dire qu'il y va, lui, et depuis plus longtemps que moi, non ? »

Mais je m'éloigne, je me perds dans cette première enfance ! Alaoua se dresse, en écran, devant moi : sa silhouette lourde, son visage de boxeur, sa force crainte par tous. C'est vrai que je l'ai haï longtemps, cet aîné, qui me tapait, qui remplaçait souvent mon père dans les corrections que je recevais, lui qui actionnait le ceinturon non seulement avec force, mais, je le sentais, presque avec volupté : moi, je serrais les dents sous la douleur. Je ne gémissais pas et il ajoutait toujours au compte que mon père fixait brièvement, pour mes frasques. Je suis sûr qu'Alaoua regrettait de n'être pas le fils du voisin (de la rue d'en face), celui dont tous les garçons recevaient la raclée un jour sur deux, « en avance », avait décidé leur père, parce qu'ils étaient quatre garçons à la suite, et que nous les trouvions tous, de vrais garnements !

Tandis que mon aîné devenait quelquefois mon bourreau (je suis sûr qu'il aurait pu torturer dans l'activité politique et militaire qui, plus tard, fut la sienne !), ma mère, Halima, et la mère de ma mère – qui devenait aveugle, mais entendait chacun des cinglements du ceinturon sur mes cuisses, ou contre la plante de mes pieds –, l'une et l'autre attendaient, tremblantes, derrière la porte, pour ensuite m'envelopper de leurs bras, de leurs couvertures, d'eau de Cologne, et surtout de baisers – ma grand-mère aveugle tâtonnait de ses mains sur mes membres, sur mes pieds, me caressait...

Mais c'est le paternel, avec sa carrure, son air bourru et son silence, c'est lui, Si Saïd, le cafetier – et *Hadj* de surcroît, que notre quartier respectait –, c'est lui qui me manque ce soir : je n'avais pas prévu – à peine suis-je arrivé dans ce village il y a tout au plus une semaine – que cette ombre du père me hanterait !

Ma mère, Mma Halima, c'est vrai qu'elle m'a suivi, par la pensée, tout le temps, en France ; c'est vrai que le jour de sa mort a été une journée noire : elle avait beaucoup faibli, je sentais qu'elle ne guérirait pas, j'avais pris l'habitude de l'appeler chaque dimanche et quelquefois, par surprise le vendredi, après sa prière du *dhor*, en calculant le décalage horaire, pour ne pas tomber au moment de sa méditation qui suivait.

D'entendre sa voix fatiguée demander : « Raconte-moi, fils, ta semaine ! » Parfois, elle ajoutait, comme une complainte : « Et toujours pas d'épouse, donc pas d'enfants, mon fils, est-ce normal ? » puis elle s'excusait, timidement, elle s'excusait d'avoir été indiscrète ; elle devait sentir que ne pas rentrer, ce n'était pas tellement mon métier qui me retenait, cela devait être une femme, en France.

Elle aurait dit : « Pour nos fils là-bas, il faut le

comprendre et l'accepter, on ne peut faire autrement, la France, c'est, bien sûr, une femme-en-France ! La France, insistait-elle avec un pâle sourire, c'est forcément une Française – et elle soupirait : du moins pour mon fils, c'est ce que sent mon cœur ! »

Une de mes sœurs m'avait avoué, lors d'une de ses visites, qu'elle se souciait, Mma Halima, de sa future bru : « Qu'elle soit de n'importe quel pays, de n'importe quelle foi, peu m'importe, Dieu est un pour toutes les Créatures, moi, j'aimerais bien partir en sachant mon Berkane avec une vraie épouse à ses côtés ! »

Ce même jour, dans la soirée, parce que Rachid, qui n'avait pas pris la mer, réparait ses filets (il avait loué à mes frères la cabine, en bas, qui s'ouvrait sur la plage : il y faisait sécher ses filets, mais l'été, cette cabine était réquisitionnée par la mairie qui y installait, en saison, deux maîtres nageurs pour veiller sur les baigneurs, en particulier sur les très jeunes enfants des quelques familles qui, pour la journée, venaient camper...), à la lumière de la lune, me voici dehors : Rachid m'avoue avoir repensé à la manifestation de 52 à la Casbah. Il s'adresse à moi avec un respect inattendu :

– Finalement, commence le pêcheur, ton père est-il allé se présenter au directeur ?

– Bien obligé, dis-je ! En revenant de l'école, quand j'ai dû annoncer à ma mère – puis celle-ci le relata à mon père – que monsieur Gonzalès voulait le voir, mon père ne m'a pas, cette fois, menacé des corrections habituelles ; il semblait soucieux. Il a répété dans la soirée : « Tu es sûr, fils ? Le directeur d'école lui-même veut me voir ? – Il m'a dit : Sinon, tu ne reviens pas ! »

Cela aurait été le pire pour mon père : son café maure prospérant, il se voyait, lui, le Chaoui analphabète (en français, pas en arabe), descendu du bled, qui dépendait, quant à sa paperasse, à ses impôts, de son comptable et de quelques-uns de ses employés parlant mieux que lui le français : il attendait impatiemment de mon frère et de moi, son autonomie prochaine. Avec son sérieux au travail et sa réputation d'homme de parole, il se voyait, je suppose, avec un avenir florissant d'homme d'affaires : cela, grâce à l'instruction de ses fils.

– Il l'est devenu, homme d'affaires ? interroge, souriant, Rachid.

– Non, parce que, la guerre de libération arrivant, dès le début de la bataille d'Alger qui se développa d'abord dans notre Casbah, il sera arrêté, torturé, emprisonné : quand il est sorti du camp, quelques mois avant l'indépendance, son café étant resté fermé tout ce temps, il était ruiné ! Mais, dis-je, soudain ému par le « Vieux » que je ressuscitais, c'est là une tout autre histoire !

– Et il était allé voir ton directeur ? reprend, tenace, Rachid.

– Oui, toute la soirée, je le sentais soucieux. Mon grand frère a ironisé à mon propos : « Le môme, il ne sait pas se tenir tranquille ! Si tu veux, père... » Et il se proposait, le cher Alaoua, de m'administrer une correction d'avance !

Ma mère surveillait, de ses yeux de chatte, le conseil de famille entre hommes. De nous tous, c'est elle seule qui sait lire et parle très correctement le français – son oncle paternel, à ses dix ou onze ans, l'avait enlevée de l'école. Il paraît que sa maîtresse d'école était venue par deux fois supplier ma grand-mère qu'on laissât la fillette suivre les cours au moins jusqu'au brevet : l'oncle, à la place de son frère mort prématurément, avait juré solennellement : « Jamais, moi vivant, une fille de chez nous ne sortira sans voile ! Son avenir, c'est d'attendre de se marier ! »

Elle ne pouvait donc rien dire, ce jour-là, à mon propos. Toutefois mon père a senti que cette demande du directeur, c'était sérieux. Le lendemain, il a fermé son café ; il est allé, très tôt, chez l'oncle coiffeur. Il est revenu mettre son costume de cérémonie : le pantalon turc bouffant, le gilet en soie brodé de fils d'or, la veste des jours de fête, son fez rouge enroulé d'un turban en lin blanc sur la tête, qui le rendait majestueux, sa barbe et ses moustaches peignées de près. Chaussé des souliers de l'Aïd, il m'a tendu la main, plutôt gentiment, avec encore l'air soucieux :

– Fils, allons donc voir ton directeur, rue du Soudan !

À dix heures trente, nous voici, tous deux, devant le portail de l'école. On nous accueille dans la cour où les élèves sont en récréation ; l'on nous accompagne chez monsieur Gonzalès. Les garçons de ma classe font cercle un moment autour de nous deux : « Si Saïd, mon père, je me dis, tout fier, il ressemble à un cavalier turc, ou à un chef *caïd* ou *agha* : il va les impressionner !

Je me souviens de l'accueil du directeur. Il reçut mon père, l'air sévère et ferme. Mon père a salué d'abord, en silence. La première phrase de monsieur Gonzalès m'est restée, bien ancrée : « Allons, toi, tu vas traduire à ton père ce que je vais dire. » Et il a ajouté, son regard froid descendant de haut en bas sur la silhouette raidie de mon père : « Avec cet accoutrement (cela m'a choqué, c'était la première fois que j'entendais ce mot, mais j'ai compris, au ton du directeur, que le mot était méprisant), je suppose qu'il ne parle pas et ne comprend pas le français ! »

Mon père, n'ayant pas compris lui non plus le mot « accoutrement » (peut-être même a-t-il pensé que c'était un hommage à sa toilette soignée), mon père donc se lança aussitôt dans son français-sabir et sa prononciation hasardeuse – je dirais dans son français à couper au couteau !

Berkane rit un moment :

– Je te résume ici l'intervention de mon père ; me restent son air digne, son ton ferme que le directeur finit par remarquer :

« Si le môme a fait une bêtise, commença-t-il.

– Oui, le coupa aussitôt le directeur, pour grave, c'est grave ! Une insulte. »

Berkane hésite, ajoute, rêveur :

– Je crois qu'il a dit, en me désignant du doigt : « Une insulte à la République, à la mère patrie, à la France ! »

Mon père, au mot « France » a un sursaut ; il fait un pas vers le bureau du directeur :

– S'il a insulté la France, déclare-t-il dans son français approximatif, prends-le, monsieur le Directeur, ce garçon et fais de lui ce que tu veux... » Il hésite, corrige son tutoiement : « Vous êtes, vous, plus que son père ! »

Le directeur semble un peu étonné du ton dramatique de mon père. Il sort de son tiroir un papier : mon dessin en l'occurrence. Il le montre à mon père, en ajoutant :

« Je vous le dis tout net, heureusement que vous êtes venu, je pensais que je devais remettre ce document à la police ! »

Au mot police, je me sens pris dans une vraie tourmente. Mon père, lui, n'a pas un sursaut : il ne bronche pas. Il a jeté un rapide coup d'œil au dessin : juste le temps de réaliser que je sais dessiner notre drapeau. Et je me rappelle alors ma question à ma mère : « Notre drapeau, pourquoi on le cache ? »

Or voilà que Si Saïd, mon père, fait là, dans le bureau du directeur, un numéro, du vrai théâtre, et cela malgré son français à couper au couteau.

« Vous avez, devant vous, un ancien combattant de l'armée française ! (Si Saïd a le geste, un peu vague, de mettre sa main au front, comme s'il saluait la France.) Oui, continue-t-il, cinq ans j'ai servi comme soldat dans la division Leclerc : car, monsieur le Directeur, j'ai participé à la libération de Paris, à la libération de Strasbourg ! »

Il continue à faire défiler ses états de service « pour la France ». J'ai bien vu que le directeur manifestait une soudaine considération à Si Saïd, car lui, nous le sûmes plus tard, il avait été un planqué : en effet, il s'était fait réformer.

Sur quoi, mon père, comme si ses réels états de service ne suffisaient pas, insiste :

« Mon fils, il sera un bon soldat français ! »

Et là, dans ce bureau, il me décoche une gifle si violente que celles de l'instituteur et du directeur, la veille, me paraissent des caresses. Monsieur Gonzalès semble effrayé :

« Arrêtez ! On ne frappe pas un enfant ainsi ! Surveillez plutôt davantage votre fils, et surtout ses fréquentations ! »

Il rassure enfin mon père :

« Je lui pardonne cette fois, je classe le dossier,

mais, encore une fois, qu'il ne fréquente plus les voyous du quartier ! »

On me lâche dans la cour pour rejoindre mes camarades. Mon père traverse les groupes d'enfants, avec la majesté du chef arabe qu'il paraît être. Moi, en rentrant le soir, chez nous, j'ai tout de même la surprise de le trouver qui m'attend, l'air adouci ; il me fait asseoir presque sur ses genoux. Il pose un regard sur moi, doux, si doux !

« Mon petit, me dit-il en tête à tête, dans la chambre. Fais attention à partir de maintenant ! Tu es mon véritable fils, puisque tu connais notre drapeau... Mais il faut être patient. Il arrivera, le moment où le drapeau flottera là, devant nous. »

Jamais plus je n'aurai, de ce père si rude, une voix d'une douceur aussi troublée. Je suis remué : je ne comprends rien, mais je n'oublierai jamais le regard de mon père posé sur moi, ce jour-là !

Un silence a suivi. Dans l'obscurité grandissante de la nuit, Rachid, face à la plage, pose la question :

– Ô Si Berkane, ton père est-il vivant encore ?

– Il a vu l'indépendance. Fatigué, usé, il a vécu

trois ans encore. Il n'a plus rouvert son café. Il semblait serein ; peu loquace, à son habitude. Il n'a pas voulu quitter la Casbah !

Berkane laisse son esprit voguer loin. Il ajoute :

– À sa mort seulement, ma mère et mes frères se sont installés à El Biar ! Moi, aussitôt après l'université que j'ai fréquentée avec retard, j'ai quitté le pays !

Après un long silence – on n'entendait même pas le murmure des vagues si proches –, le pêcheur suggère :

– Demain, à Alger, je suppose que tu iras sur la tombe paternelle, au cimetière d'El Kettar ?

– Pas pour l'instant ! répond Berkane brièvement.

Il ajoute, après une pause :

– Je ne me sens pas prêt !

La Casbah

1.

Berkane démarre à l'aube, après avoir téléphoné au photographe :

« J'ouvre à neuf heures ! Les tirages que tu demandes, tu les auras pour le lendemain ! » a promis son ami.

Tout en conduisant sur la route d'Alger, Berkane se dit qu'il ira dormir, la nuit suivante, chez son frère cadet. L'essentiel, après être passé chez Amar, le photographe, sera d'aller retrouver le quartier d'enfance : voici enfin le jour du véritable retour.

Vingt ans d'exil vont-ils lui paraître soudain irréels, coulée sombre s'évanouissant derrière lui, et les lieux perdus d'autrefois redeviendront-ils proches ?

Rues en lacis (celles de *Pépé le Moko*, lui disait en souriant Marise qui ne vint jamais jusqu'ici), il va les revoir dans le clair-obscur de ce vieil Alger : *Djazirat el Bahdja* – la belle, la glorieuse, si longtemps l'imprenable, sa ville en « pomme de pin », « ma cité des pirates légendaires », bribes d'histoire que sa mémoire, ce matin, sur la route, macère.

La Casbah va lui proposer ses venelles, ses ruelles en nœuds, en escaliers d'ombre – « ombre sans mystère, se dit-il, attendri, car je ne viens ni en étranger ni en touriste attardé, simplement en *ould el houma*, oui, moi, l'enfant du quartier à la mémoire soudain oblique ». Et tandis qu'il roule vers l'est, un début d'inquiétude se lève en lui et, comme des boules de billard, les noms changeants des artères glissent : noms français d'hier (rue du Chat, de l'Aigle, de la Grue, rue du Cygne, celle du Condor, de l'Ours), et ceux qui lui viennent aussitôt en arabe (rue du Palmier, rue de la Fontaine de la soif, rue des Tanneurs, des Bouchers, rue de la Grenade, rue des Princesses, et celle de la Maison détruite...).

La Casbah de Berkane grouillait d'appellations, autant que de chômeurs, de drogués, de gars du milieu, de dockers et de mendiants, oui, tout bougeait, encombrait, s'entremêlait et cette profusion – à la fois gonflement et déperdition – d'identités multiples a habité sans relâche ses nuits à l'autre bout de la terre, lui, l'expatrié qui ne se voyait pas revenir. Seules escales dans cet infini éloignement, les soirées de week-end, à l'Hôtel de la gare du Nord – lorsque parler de la ville quittée entre les bras de son amante, aussitôt les lieux perdus s'effaçaient pour laisser les mots, ainsi que les caresses, et vers la fin, la jouissance, les remplacer.

Passantes au voile blanc de soie et de satin, celles dont les yeux noircis de khôl vous regardent fixement, au-dessus de la voilette raidie sur l'arête du nez. Vont-elles se présenter à lui, les invisibles trop visibles à cause de ce regard insistant ? (Berkane approche des faubourgs de la capitale.) Certaines des inconnues qui le frôlaient autrefois soulevaient sur le côté le pan de leur voile pour laisser entrevoir au garçonnet qu'il était le galbe de leur jambe, ou leur cheville au-dessus de la sandale élégante ! L'enfant de cinq ou six ans reconnaissait ces « dames », celles qui sortent rarement mais qui se hâtent ; quelques-unes parfumées, une guirlande de fleurs de jasmin frais au cou et les yeux souriants, qui le bousculent, voile léger échancré sur leur poitrine ou moulant leurs hanches. Lui et les autres gamins épiaient leurs aînés, les clients des cafés maures ou se mêlaient aux désoccupés voleurs et souteneurs, tous voyeurs quand toute silhouette de femme, même celle d'une préadolescente, passait, furtive...

Tant de fois, enfant, il aimait se perdre dans cette cohue d'hommes lourds, dans ce magma d'odeurs de fruits et de viandes grillées, de cris et de complaintes des radios, de mélopées d'amour égyptien, à l'infini déchirées ; tant de fois dans l'exil, ensuite, il s'est imaginé que le microcosme de cet univers passé garderait à jamais sa réalité, mais dans quels lieux intacts ?

Dans le patio encombré où sa mère fait la lessive et sa sœur de la couture, elles ne parlent pas des autres, les voilées ou les presque dévoilées, celles qui s'avancent, audacieuses, en pleine rue, dans un sillage de silence...

Rues du désir, où les mâles étouffent, tout comme les mômes et les vieillards : hommes dehors, assis, regards plats ou exorbités, qui tuent le temps... Dans les ruelles de la périphérie s'étendait le domaine des Gitans, ou des Italiens émigrés récents ; à l'opposé, du côté du temple protestant, non loin de la synagogue, une foule prolétaire était tout aussi inactive, mais là, les femmes ne se cachaient pas, elles pouvaient aller et venir, même vers l'« autre ville », l'européenne, la ville « des autres » !

Berkane se hasardait parfois dans quelques-unes des rares boutiques d'Européens, rue Marengo. Il se rappelle l'Espagnol, boulanger de la rue Marengo qui, fuyant la fin de leur guerre, « à eux » (Si Saïd, le père, parlait de « leur guerre civile »), eh bien, cet Européen était venu jusque-là, avec sa femme, Valentine !

– Par conviction, avait déclaré le père, ce roumi, un socialiste, a choisi de vendre son pain, dans notre quartier ! Il a dit « je veux m'installer, moi, au milieu des indigènes ! »

– La preuve, a continué Si Saïd, d'un ton respectueux, lui et sa femme ont pris comme ouvrier un des nôtres, et ils le traitent bien !

Oui, Berkane songe à cet Espagnol tandis qu'au volant de sa guimbarde, il entre en ville. Lorsqu'il était sorti de prison – il avait quinze ans ou un peu plus, au cessez-le-feu –, ce boulanger était mort. Sa veuve, un an après, n'était plus la « patronne » de Miloud, l'ouvrier, mais son épouse : en pleines fêtes d'indépendance, le couple avait en effet convolé en joyeuses noces : ils tenaient à deux la petite boulangerie.

« En allant me promener dans les rues de mon quartier (entre la rue du Regard, toute en escaliers, la plus grande partie de la rue Bleue, jusqu'au cinéma Nedjma et un peu plus bas, presque près de la mosquée, à côté de la rue des Bouchers), j'entrerai dans cette boulangerie, peut-être le couple sera-t-il encore là. »

Sa voiture est, à présent, au cœur d'un trafic intense ; il suit une artère où la circulation est presque bloquée : « éviter le marché de la Lyre », se dit-il machinalement.

Il tourne vers une rue à droite qui se trouve encore plus encombrée : il ne peut dorénavant que patienter ; les voitures avancent mètre après mètre, les piétons traversent n'importe comment : « J'aurais mieux fait, regrette Berkane, de prendre par les boulevards circulaires ! » C'est trop tard.

Il s'est oublié dans ce passé d'images mortes. Depuis son retour, il se dit qu'il vit comme ensommeillé : tout se mêle, et tangue, et fluctue, davantage d'ailleurs, le passé lointain, celui de sa première enfance, ou des années à l'école française.

Il se surprend à fredonner des airs de danse

que lançaient autrefois ses sœurs, dans leur patio qu'elles partageaient avec quelques voisines locataires : des adolescentes, gaies parfois, même si elles vivaient cloîtrées, n'ayant que les heures du crépuscule pour monter à la terrasse, face à la mer et au grand cimetière, pour rêver. Et l'enfant qu'il était en profitait pour contempler ainsi le monde avec elles !

La voiture avance. Soudain, un adolescent, à sa droite, va pour entrer sa tête :

– Ô frère ! dit-il en arabe. Dépêche, dépêche !

Ce n'est pas le sabir utilisé – un mot arabe, un mot français –, c'est son regard trop luisant qui alerte le conducteur. Vivement, Berkane a remonté la vitre : le jeune a eu juste le temps de reculer.

Berkane a surpris le regard de l'intrus dirigé vers son appareil Leica, à ses pieds, mais rendu visible par la grosseur de la sacoche. Comme si l'instinct du garçon de la Casbah qu'il est se réveillait : en une seconde, il a compris que le gars allait ouvrir d'un coup la portière.

De nouveau la presse des piétons en désordre et les véhicules avancent à une vitesse d'escargot ! Berkane a remarqué que le jeune inconnu continue à se coller, de l'autre côté, à sa voiture. Dans le rétroviseur, il repère un autre gars à l'affût. Pire : ses mains portent un couteau de poche, à découvert ; soudain Berkane voit l'homme tenter de lacérer un des pneus de la voiture.

Sur quoi, le premier acolyte tape à son tour sur la vitre et lui fait signe : « Ton pneu est crevé, je crois ! » Il a un sourire faussement fataliste.

Berkane décide de ne pas ouvrir ; il est presque sûr qu'un troisième larron suit à l'arrière : la tactique des voyous d'autrefois, dans son quartier, était toujours qu'un troisième devait s'enfuir avec la marchandise, tandis que les premiers complices prenaient, en toute impunité, l'air innocent.

La voiture roule lentement : « Tant pis pour mon pneu, sortons de ce guêpier ! » grommelle-t-il, ulcéré de se voir, si près de son quartier, paraître un étranger fortuné, victime tentante pour les petits voyous d'aujourd'hui.

« Il faut patienter ! » se dit Berkane. Quatre, cinq mètres, tout au plus, la voiture avance ! Les deux gaillards, toujours là, guettent le long de la Simca. Le troisième, qui n'est pas dans le champ de vision de Berkane, va tenter de resserrer l'étau : sur ce, un bruit suspect dans la voiture. Sans même se retourner, Berkane comprend.

À l'arrière, les vitres ne sont pas hermétiquement fermées. Le gars a introduit, d'un doigt sans doute, une bombe lacrymogène, pour que, asphyxié par le gaz, le conducteur soit contraint d'ouvrir la vitre. Le complice prêt à bondir pour se saisir de la trop belle sacoche – un cadeau de Marise : ils surestiment le prix de l'appareil photo !

À demi asphyxié, Berkane, les yeux rougis et picotants, ne voit plus rien devant lui. Il s'est arrêté de respirer : « Ne pas ouvrir ! » Il se répète l'injonction, comme s'il y allait de son honneur de ne pas se retrouver victime, près de « chez lui », de voleurs à la tire !..

Soudain, le trafic devient presque fluide. Berkane accélère : un peu plus loin, il rouvre les vitres pour enfin respirer.

Quinze minutes plus tard, il arrive chez le photographe, les yeux encore rouges ; après son récit – l'autre se moque légèrement : « Ils t'ont pris pour un coopérant, ou un riche touriste ! » –, ils constatent ensemble l'état piteux de la voiture :

– Changer le pneu, bien sûr ! Mais je veux aussi porter plainte ! Je les reconnaîtrai !

Amar le regarde tristement :

– Ce méfait est tellement banal ! Crois-tu que la police, après avoir reçu ta plainte, fera quelque chose !

Berkane s'entête.

– Cela se voit que tu viens de rentrer ! Si, toutes ces années, ça n'avait été que le nombre des voleurs qui avait augmenté !

La voix d'Amar a eu comme un hoquet d'amertume : puis il se tait pour ne considérer que les pellicules déposées...

– Excuse-moi ! répond Berkane, après un silence et tout confus.

2.

Amar et moi, nous sommes amis depuis les années d'université à Alger ! Depuis, nous nous rencontrions presque annuellement, mais toujours à Paris.

– Tu es mon invité, décide aujourd'hui Amar, allons à la Pêcherie ! Nous aurons, comme toujours, les rougets les plus frais et de belles dorades !

– Cela me va : je ne mange que du poisson, depuis une semaine, dans mon village !

Nous déjeunons dans le bruit, mais avec le plaisir de humer l'air marin ; puis nous nous levons. Mon impatience à aller retrouver « mon » quartier est visible. Comme pour un rendez-vous amoureux, j'appréhende le « moment » tout en piaffant d'excitation intérieure.

Amar me connaît mieux que moi-même.

– *Bilati, bilati*, comme disent les Marocains, me conseille-t-il, lui qui a épousé, il y a peu, une jeune femme de Fès.

Il promet de soigner mes tirages. Nous nous reverrons, le lendemain matin.

– J'ai annoncé à Driss, mon frère, dis-je, que j'irai chez lui ce soir : nous veillerons en célibataires.

Amar et moi, nous nous trouvons à présent debout, côte à côte, presque au pied de Djemaa el Djedid (que les Français appelaient mosquée de la Pêcherie) ; de là, j'ai contemplé la place large, octogonale et populeuse.

Nous allons la traverser pour partir ensuite, chacun de son côté. Dans cette minute de contemplation, mon esprit est habité par une mémoire, comment dire, collective ? Imaginer le jour où notre cité dite l'Imprenable fut violée : l'armée française de Charles X y entre en grand apparat. Hassan Pacha, le dernier dey, n'a pas encore embarqué, avec ses femmes, et beaucoup de ses janissaires, pour Livourne, puis Constantinople.

Cette plongée en arrière me saisit chaque fois que je reviens sur cette place, comme si c'était moi qui reculais dans la mécanique du Temps – en l'occurrence, plus d'un siècle et demi. Pourquoi, mais pourquoi cette vision obsédante ?

De l'effervescence qui me saisit, je n'évoque devant Amar – à qui autrefois j'avais donné tant d'estampes de cette époque (celles du Suisse Otth, celles de l'Anglais Wild) – que ce qui anime mon regard rétroactif sur ces lieux précisément : une dévastation sous nos pieds, un cimetière de mosquées, de palais, de maisons... tout cela abattu en trois, quatre ou cinq ans, après juillet 1830.

– La destruction, dis-je, tu sais combien c'est pour moi une douloureuse fascination ! J'aurais dû étudier pour être archéologue, diriger des fouilles, et là, sur cette place, j'aurais exhumé des pierres plutôt que des cadavres !

Et comme Amar se tait, j'ajoute :

– L'ancienne *Jenina* d'El Djezaïr, plusieurs

palais, de rares mosquées ottomanes si raffinées, plus d'un quart des monuments du centre d'Alger a disparu pour donner cette surface plate, cette place d'armes à la française, face à la mosquée el Ketchaoua devenant leur cathédrale ! Cette rapidité, cette efficacité barbare dans la destruction m'a toujours laissé pantois !

– Ne juge pas hier avec la logique d'aujourd'hui ! conseille Amar, marchant à mes côtés. Qu'on le veuille ou non, la destruction était la règle partout, au dix-neuvième siècle : nous avons subi, en 1830, l'implacable loi du vainqueur... Que dire plutôt de ces deux dernières décades, quant à la politique d'urbanisation de nos gouvernants d'aujourd'hui ?

Il me prend le bras : il est un homme du présent, Amar, pas comme moi, perdu dans des rêves. Il ajoute :

– On s'est tourné vers les Canadiens, sous le prétexte que, en coopérant avec le Québec, la langue française faciliterait la relation ! Tout un programme de modernisation, à l'autre extrémité de la ville, a été décidé avec un budget énorme, un centre de loisirs pseudoculturels a été conçu comme si on vivait à la latitude de Montréal ; sur quoi, on y a adjoint des monuments de commémoration pour nos héros dans un style d'un néoréalisme stalinien hideux !

– La langue française n'a rien à voir avec le choix du fournisseur ! Il n'y a que des réseaux d'argent qui sont le nerf malade de ces projets d'urbanisme : on ne consulte surtout pas ceux qui vont habiter sur place : ni les représentants de familles avec qui dialoguer, ni les artisans traditionnels à encourager, non, aucune confiance dans les citoyens ! Seulement des prébendes à distribuer entre copains-coquins. Tu le sais bien ! (Je ris amèrement.) Si Alger avait existé du temps de Jugurtha, celui-ci n'aurait pas eu besoin d'aller jusqu'à Rome pour lancer son insulte célèbre : « Ville à vendre ! »

Nous allons nous quitter ; nous demeurons ainsi, face à face, à regarder en nous et autour de nous, malheureux soudain, solidaires en effet. C'est Amar, toujours plus ironique que moi, qui conclut :

– Tu as parlé de nos héros, quant aux monuments aux morts, dressés face à la demeure de l'architecte Pouillon – lui qui a su rénover une de nos demeures anciennes : si nos martyrs ressuscitaient, beaucoup d'entre eux hésiteraient, je pense, à se sacrifier de nouveau, tu sais pourquoi ?

Il a un geste de dérision vers le ciel :

– À cause de tant de laideur qui est censée les honorer !...

Il me tourne le dos et j'entends encore sa voix bourrue poursuivre :

– Bonne chance pour ta balade, frère, et à demain !

Le dos encore tourné à la Casbah, j'ai jeté un dernier regard, derrière le minaret de la Mosquée Neuve, vers celui, plus austère, de la Grande Mosquée d'avant les Turcs.

Puis j'ai renversé la tête vers le ciel, je me suis surtout empli les yeux de la lumière, en ce début de l'après-midi : elle semblait papilloter ; à force d'intensité, elle auréolait le contour des immeubles, des arbres, des toits, du vide au milieu. Du côté des arcades, les gens s'affairaient ou stationnaient par groupes, les pauvres entassés à même le sol et les autres, dont quelques silhouettes de mendiantes, paraissaient des ombres évanescentes.

J'ai cligné des yeux une ou deux secondes, et comme autrefois dans ma jeunesse – où je m'aventurais si souvent jusque-là, je me souviens, jusqu'au Cheval, avec la statue du prince d'Orléans qui n'est plus là, mais qui se dresse encore dans ma mémoire d'enfant, sous cette même lumière –, oui, longuement j'ai contemplé toute la place, depuis les deux minarets élancés, celui à l'horloge et celui d'Ibn Tachfin, puis la jetée au fond qui se devine, plus loin, la Pêcherie, l'Amirauté, en arrière-plan, et j'ai même perçu la rumeur scandée des paquebots qu'on sent proches.

D'un seul coup, j'effectue sur place un demi-tour : je fixe goulûment la tache triangulaire de « ma » montagne, de ma ville « pomme de pin », de ma Casbah, mon antre, ma forteresse, mon quartier, *houma*, resté le même grâce à la permanence des pierres, des maisons à terrasses, des rues d'ombre et des escaliers en paliers, et des tranches étroites de ciel qui vous suivent, surtout des ruelles avec la foule s'écoulant, ruelles en coude s'éclaboussant de rires, de chants, des hommes et des garçons, et des femmes parfois fuyant, des filles pas honnêtes, c'est sûr, de celles qui sortent quand elles veulent, ce bruit, ce chaos, ce magma, ce village de montagne perché haut, vers la mer et ses tempêtes s'inclinant, ma Casbah j'y retourne, j'y reviens pour revivre, mon cœur y bat, je désirerais y dormir, toujours dedans pour me souvenir, toujours dehors pour courir, oui, hier, aujourd'hui, en ce jour comme toujours, même si je suis ailleurs, je suis ici...

Comme autrefois, entrons chez nous, par Bal el Jdid !

Vingt ans après, revenons à la place du Cheval !

Ô ma Casbah, mon navire,
mes deux îles,
mes premiers pas...

Chère Marise,

Que te dire de ma première visite à mon territoire d'enfance ?

Je n'y suis allé que huit jours après mon installation à Douaouda où je vis désormais – tout ce temps pour surmonter l'état de silence ou de putréfaction intérieure dans lequel je me suis trouvé, et que j'ai réussi à dissimuler à mon frère Driss, à Amar qui m'a tiré soigneusement des photographies prises lors de mes premières randonnées – appelons celles-ci, si tu veux, par référence à Eugène Fromentin, en quelque sorte « mon automne au Sahel » !

Je tente de relater, pour toi, mon délaissement

par rapport à mes lieux d'origine : après avoir déambulé, ce jour-là, des heures durant jusqu'au crépuscule, il faisait presque nuit quand, épuisé – au-delà de la morne constatation de retrouver ces lieux de vie dégradés, délabrés, disons même avilis... –, je n'ai pas retrouvé ces lieux d'une vie autrefois foisonnante, grouillante, je les ai cherchés, je ne les ai pas encore trouvés alors que je t'écris !

Je suis parti de ces mêmes rivages, hier – enfin, il y a juste vingt ans. J'ai vraiment cru être simplement parti « ailleurs », quoi de plus banal, la vie des lieux, des gens – je le croyais – resterait jaillissante derrière moi, donc en moi aussi – moi m'étant cru momentanément le séparé, l'éloigné. Une chanson de mon enfance, lancinante, disait toujours : toi, *el Menfi*, l'expatrié !... Ainsi toi, Marise, je te crois pareille à mon domaine inentamé d'autrefois, à ma Casbah-forteresse, toi séparée pourtant de moi. Or ma Casbah s'est présentée à moi souillée ; plus que leur flétrissement, oh Marlyse, je découvre bien tard que mes lieux de l'enfance ne peuvent être pareils à des êtres aimés !

Mon royaume d'autrefois, je l'ai cherché dans les moindres rues, les artères, les placettes, les impasses et jusqu'aux fontaines, aux petites mosquées, aux oratoires des carrefours ! Se sont présentés à moi, ce jour d'avant-hier et sous une lumière implacable, sont venus à moi, presque en images désolées de manège, tous les lieux ! Mais, je le constatais, ils se sont mués quasiment en non-lieux de vie, en aires d'abandon et de dénuement, en un espace marqué par une dégradation funeste !

Maisons entre des zones d'éboulis, vieilles demeures en ruine et ces ruines commencent à dormir sous des détritus, pyramides parfois incontournables de déchets et de fiente, quelques rues au cœur même de ce vieil Alger, avec un côté entier disparu, comme pour laisser la place au vent. La localisation, parfois, des cafés maures, des petites boutiques en désordre mais vivantes, je ne la retrouvais plus, ou difficilement, et les portes anciennes, que quelquefois je reconnaissais, étaient dépourvues de leurs linteaux sculptés finement...

Je ne te décris pas une catastrophe soudainement arrivée, ni les suites d'un séisme récent, dont les gens auraient tardé à réparer les outrages – non, comment dire, du moins pour la haute Casbah, l'ensemble est en partie là, les maisons et les gens vous regardent, comme d'une autre rive. Il est vrai que les habitants sont si souvent des résidents d'après 62, quand le rush des ruraux est venu remplir le vide des pieds-noirs, ces derniers, de Bab-el-Oued voisin ou de la rue Marengo et des environs de la synagogue, en quelques mois de l'été 62 s'étant envolés, comme sous l'effet d'une migration saisonnière... Et ces lieux réoccupés semblent, je ne sais pourquoi (ou simplement sous mon regard aigu d'enfant qui se ressouvient du quartier), oui, ces lieux, autrefois réservés aux petits Blancs, semblent encore attendre ces derniers.

Excuse mon désarroi : l'épidémie maléfique que je rapporte de ce retour aride, j'en ferai ensuite le tour, le détour, le retour ; je n'arrive pas pour l'instant – comme un chat avec sa pelote de laine embrouillée – à définir ma réaction, je dirais mon immobilité !

Lieux délabrés, emplis de familles qui semblent être arrivées là, quelques jours avant et non pas voici des années... Hommes et garçons figés sous des portiques, dans une impasse, mais je remarque toutefois un plus grand nombre de femmes dehors, souvent adolescentes, le cartable à la main et la démarche vive ; je note qu'il n'y a presque plus de voiles blancs, élégants, soulignant les hanches, non plus le regard luisant des invisibles trop visibles. D'autres passantes, ensevelies désormais sous des tuniques longues, grises à la marocaine, leurs cheveux disparaissant sous un foulard noir, à l'iranienne, se pressent maintenant.

Chère Marise/Marlyse, comme ton prénom, ma déception de ce retour à mon quartier, je la découvre double. Des retrouvailles, irrémédiablement fissurées, partant à la dérive, comme un paquebot qui se pencherait juste avant de s'enfoncer. Comment ne pas tirer cette conclusion : ma Casbah, à force de délabrement consenti, de laisser-aller collectif, ma citadelle où chacun n'est plus que chacun, et jamais le membre d'une communauté, d'un ensemble bruyant, mais vivant, cette ville-village, de montagne et de mer, m'est devenue désert du fait de son état de dépérissement misérable...

Je suis définitivement en perte : serait-ce désormais de ma seule enfance ?..

Il y aurait à te décrire ma soudaine incapacité à trouver mes mots : depuis hier, j'ai évité et Rachid le pêcheur, et l'épicier, joueur de dominos... Je plonge dans le silence, comme une veuve des temps anciens qui doit traverser quarante jours dans le noir ou dans la méditation et dans cette transition, livré à mon incapacité à dire le malaise de mes réactions, je tente, en t'écrivant, de trouver quelque parade !

Berkane

Cette seconde lettre pour Marise, aussi, restera non cachetée, sur ma table, comme l'autre ; je désire qu'elle m'aide, bien que je ne sache pas exactement ce qui alimente mon malaise : la lente, irréversible dégénérescence du quartier d'enfance, abandon presque voulu par les pouvoirs publics locaux ne tenant même pas compte du passé prestigieux des lieux. Quant au souvenir de la « bataille d'Alger », on s'est contenté de remplacer les noms souvent évocateurs du passé colonial par simplement les noms d'état civil de tant de victimes de la répression de 57 !

N'est-ce pas là le lot de cette anesthésie des mémoires en pays du tiers-monde ? Comme si l'inscription des souffrances sur les lieux eux-mêmes n'existait pas plus qu'un tampon : le nom ! un point, c'est tout ! N'est-ce pas là la preuve que la société entière, à bout de souffle, court en avant, se précipite en aveugle vers les tâches de survie élémentaire ?

Éphémères traces perdues dans ce cœur à vif de la capitale !

Mais je piétine : je ne viens pas en redresseur de torts, au pays natal et si les lieux comptaient tant pour moi, pourquoi ne me serais-je pas installé à demeure, dans la rue Bleue, face au cinéma Nedjma – qui, je l'ai constaté, n'est plus qu'une baraque désaffectée, aux murs souillés d'urine ?

Après tout, si j'avais été urbaniste, architecte ou sociologue de l'espace urbain, ç'aurait été sur les lieux mêmes de la déchéance qu'il aurait fallu habiter...

Quand Ulysse revient, après une absence moins longue que la mienne, c'est à Ithaque qu'il débarque dans l'anonymat, même si seul le chien qui le hume le reconnaît sous ses hardes de vagabond. Je n'ai pas, moi, d'épouse fidèle à demeure, certains pourraient remarquer que mon retour, je m'y suis engouffré à la suite de la rupture décidée par elle, la « Française », comme la nommait, mélancoliquement, ma mère !

M'est revenue l'époque (le début de notre relation) où elle jouait l'un des deux rôles féminins d'une pièce américaine, dans ce petit théâtre du XIVe arrondissement. Le premier succès de mon amie.

Moi, fasciné par sa prestation : un long dialogue entre Marilyn Monroe, avant de mourir, et le fantôme de sa jeunesse, alors qu'elle débutait, vingt ans auparavant ; deux heures de texte dense, sans décor (une lampe, un lit étroit, une chaise), sous des lumières qui, peu à peu, s'affaiblissent et Marilyn, dans le délire supposé de ses derniers instants, se débat, violente, impuissante, hallucinée.

Je me mettais au fond de la salle, et, dix, vingt soirées de suite, je me perdis, je me fondis dans l'écoute des spectateurs renouvelés. Je fermais les yeux, je suivais les variations infinies de la voix de l'hallucinée, chaque soir la même et pourtant différente... Cela me paraissait ne devoir jamais finir, si bien que je n'ai plus voulu ensuite la voir jouer. Aux soirées des premières (même si, dans sa loge, je la réconfortais, je calmais son angoisse muette), le nouveau spectacle lancé, je craignais que me reprenne le désir de retrouver l'identique plainte, la mélopée des soupirs à peine devinés dans sa gorge. Moi toujours le rôdeur, l'écouteur inlassable, m'attristant ou riant en écho avec la femme exposée là-bas, vivant sous les projecteurs...

À présent, je sais pourquoi la magie opérait en moi : ma mémoire obscurcie trouvait là, dans ce recueillement de tous, un reflet des soirées du cinéma Nedjma, à la Casbah !...

3.

Brusquement, après une nuit où j'ai sombré dans un sommeil lourd, c'est sous la douche glacée que j'ai compris que j'avais besoin, une seconde fois, de retourner là-bas, vers où mon enfance palpite. Comme si, toute la nuit, paralysé, mon inconscient avait insidieusement tissé cette envie de retourner, d'essayer à nouveau, j'emploie ce verbe à la manière d'un amoureux qui accomplirait, en direction de l'amante, une seconde et dernière tentative de réconciliation...

J'ai conduit, au matin, tout d'une traite ; j'ai changé de trajet à l'entrée des faubourgs de l'Ouest : un chemin détourné, par des rues nouées et dénouées qui semblaient, peut-être à cause même de ma vitesse imprudente, soudain vidées de trafic. Je suis passé par la Citadelle, ensuite devant la porte de la prison Barberousse. J'ai stationné au bout du Jardin Marengo, évitant d'arriver jusqu'à la grande place des Martyrs.

Puis, comme si j'avais donné un rendez-vous urgent (à qui, je me demande à qui), j'ai marché à pas pressés, d'abord devant le Grand Lycée où j'ai toujours une pensée pour Albert Camus, quand, encore adolescent, chaque jour, il descendait du tramway qui l'avait mené de Belcourt à l'autre bout de la ville jusque-là, à la porte de ma Casbah où sans doute il est rarement entré, me semble-t-il...

À cette époque-là, je n'étais pas né, mes parents eux-mêmes ne s'étaient pas mariés, ma mère venait d'être contrainte, à onze ou douze ans, de quitter l'école française : tout cela, ce songe d'ombres à la fois inconnues de moi et trop connues, ainsi que cet écrivain pied-noir me donnant comme une chiquenaude, d'un air de dire : « Pas le Grand Lycée, petit, pas l'université, seulement les lettres, écrivain ou écrivaillon, qu'importe, mais le rêve sous les doigts, dans la langue murmurée, ou silencieuse, et pour toujours ensoleillée... », tout cela...

Si je devais flâner devant la porte du Grand

Lycée, avec les garçons se bousculant en descendant du tramway bruyant, aussitôt, je replongerais dans mon énième dialogue avec le seul Français né ici, le second après Eugène Fromentin – celui-ci, le passant aux yeux de lynx – à pouvoir laisser des traces ineffaçables de ce que fut ma terre – colonie française, mais ma terre quand même, sur laquelle Camus a posé son regard fertile, comme le ferait une femme arabe, mais elle, paupières baissées au-dessus de la voilette de soie – et je n'exclus pas, de ce lot, le père Delacroix, et un peu Guillaumet, et l'autre Albert, Albert Marquet, l'ami de Matisse, ces témoins-là, ce sont le plus souvent des peintres, car ils sont des rois, ils ne sont de nulle part et de partout, cela fut toujours ainsi, des deux côtés de la Méditerranée – des aventuriers, des corsaires, des renégats, mais aussi des peintres éblouis... Une histoire d'effraction pour eux, un royaume pour leurs yeux.

Me rapprochant de mon quartier, mais sans toutefois arriver à la rue Bleue, seulement à la rue du Regard, je fis, presque machinalement, ce que tout habitué commence par faire, après une absence : entrer chez le premier coiffeur ouvert.

C'est en tournant la tête, puis en fermant les yeux, que, presque instinctivement, je me revois, vingt ans auparavant dans la boutique de mon oncle maternel, Mouloud dit Tchaida, lui qui est mort maintenant depuis longtemps. Le coiffeur qui lui a succédé, un vieil homme, à présent, finit par me reconnaître, et s'étonne :

– Tchaida ! soupire-t-il, puis, plus bas, en se reprenant : Si Mouloud ! Que Dieu lui assure son salut, c'était hier à peine... Mon fils, il n'est pas oublié, sois-en sûr !

Et le passé, lourd et léger, reflue d'un coup.

Me voici dans cette minuscule boutique : ce lieu, dans mon enfance, me paraissait une caverne des Mille et Une Nuits. Tchaida, ancien boxeur revenu de France – après une courte carrière – puis reconverti dans la coiffure où il fut considéré par toute la Casbah comme « un artiste de la coiffure ». Il n'acceptait pas tous les clients qui se présentaient : d'abord parce que, au premier coup d'œil du quidam, à sa tête (parfois il invitait l'inconnu à bouger son profil dans tous les sens), Tchaida jugeait en esthète, si celui-là était digne vraiment de la coupe qu'il lui ferait, auquel cas, ce travail lui demandait deux heures au moins (il allait jusqu'à couper les mèches au feu d'une bougie, méticuleusement) et le coiffeur exigeait une patience sans faille du patient...

Ensuite, tout dépendait aussi à quelle heure le client se présentait : en général, le seul moment favorable était après sa piqûre quotidienne d'héroïne, et quelques heures au moins avant qu'il ne se mette au vin rouge, pour finir ensuite la soirée avec sa cigarette de kif, prise le plus fréquemment en petit cercle... La boutique alors prenait l'aspect d'un fumoir.

Comme il dînait et dormait chez sa vieille mère, non loin, elle ne pouvait reconnaître l'odeur du kif : Mouloud (à la maison, on oubliait le pseudonyme de sa période sportive) respectait beaucoup sa mère...

Tchaida fut, dans ma première enfance (jusqu'à mes onze ans), la personne à la fois la plus proche de moi et, en même temps, par ses mœurs, la plus étrange : comme s'il ne vivait pas dans le même monde que mon père si digne et mon frère si terrible. Je l'aimais, Tchaida ; il me faisait, lui, pleinement confiance.

J'étais presque chaque jour à son service : il comptait sur moi, comme si c'était moi qui devais veiller, si petit, mais sachant que je l'aimais, à son approvisionnement de drogué.

Je me vois prendre, dans toute sa longueur, l'étroite rue du Nil (qu'en arabe, on appelait *zenkette El Meztoul*, la rue du Drogué) : c'est en effet la plus étroite rue de la Casbah, elle n'a qu'un mètre à peine de largeur et cela sur au moins cent mètres.

Enfant, je connaissais sa légende : le maçon qui l'avait autrefois construite, racontait-on, avait fumé tellement de joints qu'il avait perdu toute notion de mesure, d'où son appellation arabe.

Et ce maçon halluciné par la drogue me ramenait tout naturellement à mon oncle, tandis que je lui servais de commissionnaire, en cachette évidemment de mon père. Je me vois donc si souvent au milieu du jour commencer par cette rue du Nil et suivre ensuite le même trajet : depuis la Fontaine de la soif, en passant par le Four de l'égout – four de boulanger où un pâtissier était célèbre pour ses gâteaux en cercle, les *keu-katt* recherchés par les bourgeoises pour leur café de l'après-midi. Je dépasse ensuite le plus célèbre vendeur de colliers de jasmin et de fleurs d'orangers ; je tourne à la fontaine de Sidi M'hammed Chérif, je longe la mosquée es Safir (du Voyageur). Je reprends souffle en écoutant devant des persiennes closes les litanies monotones des théologiens, si vénérables. Me voici presque au but : aussitôt après la petite Fontaine des veuves, m'attend, c'est sûr, le vendeur de sommier dans son coin, à l'air libre. C'est un bossu ; il est assis, à côté d'un écriteau en français majuscule À VONDRE, avec la faute d'orthographe qu'il ignore. À chaque client qui vient lui demander le prix du sommier, le bossu répond, dédaigneux : « Il est déjà vendu ! »

Moi, je sais : à l'intérieur du sommier, le vendeur entrepose une marchandise plus précieuse. En silence, je lui tends la pièce, assez lourde, que m'a donnée mon oncle (avec une piécette plus légère pour mes bonbons).

Le bossu jette, par habitude, un coup d'œil derrière moi pour s'assurer que personne ne me suit ; il se baisse et sort du sommier un triangle de papier glacé et plié. Il y a dedans, je le sais, la dose quotidienne en poudre blanche pour Tchaida.

Je cours à nouveau dans l'autre sens, jusqu'au salon de coiffure, rue du Regard. À ma vue, mon oncle ferme sa porte. Je le rejoins tout au fond. Je le regarde verser avec précaution le contenu du paquet dans un récipient, y mettre un peu d'eau du robinet, mélanger le tout avec rapidité. Il prend alors une seringue, la remplit du liquide – quelquefois, en buvant avidement la dernière goutte restée dans le récipient. Toujours, avec la même précision, car l'enfant que je suis, regarde, regarde intensément, il déboutonne une manche de sa chemise, se saisit d'un garrot qu'il noue autour de son biceps, et cela – tandis que j'admire les muscles de mon oncle, ancien boxeur – pour faire gonfler la veine. Toujours tête levée, je le regarde tâtonner, puis introduire l'aiguille, injecter enfin lentement le liquide, alors que des gouttes de sueur apparaissent sur son front, qu'il ferme les yeux, que je n'existe plus pour lui. Il retire enfin la seringue, s'affale sur son fauteuil, dénoue l'élastique du garrot, toujours yeux fermés, sa tête penche soudain en avant : immobile, il est loin, si loin et j'ai presque peur. Je recule lentement. Je l'ai aidé. Je dois rentrer à la maison ; ne rien dire ni à ma mère, surtout pas à ma mère, ni à mon frère qui, au tournant de la rue Bleue, me gronde et me réprimande parce que, dit-il, « je traîne ».

Moi, si petit, j'ai un secret : mon oncle me fait confiance et ce sera ainsi jusqu'à sa mort !

Ce même salon où je me trouve maintenant, mon oncle en faisait un lieu privilégié pour les drogués comme lui : tout un cercle de fumeurs de haschich.

Ordinairement, tout au fond de ce local, les cigarettes roulées, tassées de kif, passaient d'une bouche à l'autre des amis. Je revois même la pipe dont le bec plongeait dans un bocal d'eau et que chacun aspirait à tour de rôle. Ils finissaient par baigner dans un nuage de fumée et leurs propos se dévidaient au ralenti, sur un ton d'étrange douceur.

Certes, ces réunions de fumeurs de kif étaient encore plus fréquentes au café de la Source, à la rue Staouéli. Du moins, jusqu'au jour, tout au début de la « bataille d'Alger », où Ali-la-Pointe (son surnom, parce qu'il venait de Pointe-Pescade), oui, jusqu'au jour où cet Ali-la-Pointe, devenu un héros recherché à la fois par l'armée, la police et les indicateurs, et qui pourtant, défiant tous ses ennemis, opéra une descente au café de la Source : il annonça qu'il ferait fouetter devant tous, tous les drogués du quartier... Et il passa à l'action, le lendemain, cela à cent mètres du poste militaire des Zouaves – leçon exemplaire alors pour signifier, en ce printemps de 1957, que le refuge ne serait plus l'opium et le kif, mais désormais la lutte sans trêve pour l'indépendance. Oui, Ali-la-Pointe, lui-même, qui préféra se faire sauter dans son repaire, plutôt que de se rendre aux soldats, cet hiver de la même année 57.

Mais mon oncle Tchaida était mort alors, et lui aussi dramatiquement, fidèle à sa vie de rêveries d'halluciné, et donc à son personnage.

Je n'ai évoqué mon oncle que le lendemain, devant mon ami, le pêcheur. Qui m'écoute en silence.

– Tu as bien dit, l'autre jour, qu'un écrivain allemand, je crois, a écrit : « Malheureux, le pays qui a besoin d'un héros », n'est-ce pas ?

– Oui, il s'agit de Bertolt Brecht qui, dans son exil loin de sa terre livrée au nazisme, s'interroge, dans son théâtre, sur ce que serait le héros !

– Les héros, en Algérie, pendant la guerre, on les a appelés des *moudjahiddin*, un terme religieux, n'est-ce pas ?

– Rien à voir, dis-je, avec le héros de mon enfance. Considéré comme « le dernier des derniers » parce que drogué chaque jour ! Mais, à sa mort si tragique, le petit peuple en a fait un personnage exemplaire...

– À sa mort ? demande Rachid.

Je me suis tu, je me suis absenté : il a bien fallu raconter.

Alors que les attentats se multipliaient dans la ville, saisi soudain par une prémonition étrange, mon oncle Tchaida arriva, tout tremblant, mais lucide cette fois, jusque chez nous où ma grand-mère, après une délicate opération des yeux, reposait.

Il voulait, disait-il, faire ses adieux à tous et à chacun ! Des paroles qu'on ne prit pas au sérieux, et moi, j'étais là, le seul à savoir que, ce jour-là, je ne l'avais en rien approvisionné : sans me douter, moi non plus, que le martyr de ce jour, ce serait lui cette fois – lui le drogué, lui, le coiffeur de génie qui ne voulait coiffer que ceux qui lui plaisaient parce qu'il ne travaillait pas pour l'argent, mon oncle, mais pour l'art !

Dans notre patio – alors que c'était déjà la fin de l'après-midi, que les voisins avaient annoncé à tous : « Prenez garde, aujourd'hui, la patrouille a prévenu que le couvre-feu serait avancé à six heures, les rues sont déjà presque désertes, les hommes reviennent en hâte, à cause du danger ! » –, Tchaida entre en trombe, nous regarde tous en cercle autour de lui et, lyrique, les yeux en larmes, il s'écrie :

– Ô gens de mon sang, ô vous, les miens, mes très chers, je viens vous quémander le pardon !

Et tous, de s'étonner, chacun de penser : « Voilà son heure de drogué ! »

Quelqu'un, une fillette je crois, lui fait remarquer que sa vieille mère repose, les yeux bandés, que...

Mais il n'écoute personne, Tchaida. Il continue ses adieux :

– Votre pardon, j'en ai besoin ! Vous n'allez plus me revoir ! Ce soir... ce soir ou jamais, dites-moi que vous me pardonnez !

Malgré l'agacement de tous, ma mère est la seule qui trouve la patience, ou la compassion, pour lui parler avec douceur :

– Que te prend-il, mon frère ? Retourne en paix chez toi ! Cela va être l'heure du couvre-feu !

Et ma grand-mère qui gémit, ses yeux protégés entièrement par des pansements, à cause de l'opération si grave de la veille :

– Ô Halima, calme ce fou ! s'écrie-t-elle.

Explique à ton frère que je ne peux même pas le voir ! Que les médecins m'ont bien recommandé : « Vous ne devez surtout pas pleurer ! Sinon, l'opération ne réussira pas et vous deviendrez aveugle ! Surtout dis-lui bien, ô ma fille, Halima, dis à ton frère que je ne pourrai pas le voir ! Qu'il rentre chez nous... »

Mais la litanie très haute de l'oncle, qui se prolonge, s'amplifie, attire même les voisins à la terrasse :

– Ô vous, les gens de Dieu, et ceux de ma famille, accordez-le-moi, votre pardon ! Ô gens de mon sang et de ma souche, dites-le-moi, ô ma mère, ô ma sœur, que vous me pardonnez ! Pour mes péchés qui sont si grands et pour ma vie gâchée, vous que j'ai tant aimés !

Sa plainte qui recouvre la plainte de sa mère qui traite son grand fils de fou, qui ne cesse de gémir aussi sur elle-même, et ma mère qui répète :

– Fais attention au couvre-feu, il est passé six heures, de cinq ou dix minutes ! Prends garde !

Elle fait quelques pas pour le raccompagner au vestibule, mais il sort rapidement, tout en continuant sa complainte jusque dans la rue Bleue.

Cette fois, sa voix déchirante s'adresse aux gens de la rue (« Ô mes voisins, fidèles de Dieu, pardonnez-moi ! ») ; voici qu'il invoque tout le quartier, pense ma mère qui revient vers nous, inquiète, « l'heure du couvre-feu est avancée à six heures, aujourd'hui », murmure-t-elle à nouveau, presque pour elle seule, quand soudain, j'entends, le premier, deux sommations qui viennent de l'extérieur :

– Halte ! Halte !

Je cours à la fenêtre ; j'entends une rafale de mitraillette. Ma mère hurle, et moi, criant à mon tour :

– C'est mon oncle ! Ils ont tiré sur lui ! Il est blessé !

Je le vois, moi, par la fenêtre : il est debout, ses mains retiennent en arrière le bas de son dos. Il a les yeux levés au ciel, et il continue son lamento :

– Gens de mon quartier, je vous demande...

Deux militaires arrivent à sa hauteur : l'officier et le zouave qui a tiré. Mais Tchaida gît maintenant à terre, sur le dos, une jambe repliée et sa main griffant le pavé : il semble dire encore quelque chose, ses lèvres bougent, il demande pardon à tous, à la terre entière. Derrière moi, ma mère hurle, appelle son frère, puis s'écroule en sanglotant :

– Ils ont tué mon frère, ô mère !

Ma grand-mère s'est dressée, au centre du patio, a compris : elle s'arrache les pansements de ses yeux. Non, elle ne pleure pas : elle veut désormais être aveugle ! Elle le sera dix ans encore, jusqu'à sa dernière heure.

Quant à moi, le lendemain, avant même l'enterrement, je lis avidement le journal : il est écrit, noir sur blanc, qu'en plein cœur de la Casbah, un terroriste a été exécuté. « L'individu était armé... »

Jusqu'à mes douze ans, j'ai fermement cru que tout ce qui était écrit était sacré !

À la fin de mon évocation, je me suis tourné vers l'ami Rachid, moi qui ne suis plus ni enfant ni même adolescent, moi, l'homme déjà mûr, revenu à mon tour de l'émigration en France, presque aussi démuni que mon oncle Tchaida :

– Tu vois, Rachid, Tchaida, pour moi, enfant, a été le héros pur et nu, un héros malheureux, vulnérable. Par sa lucidité de l'ultime heure, de tous les gens de ma Casbah, il me paraît le seul innocent – pas le héros politique, ni même celui du nationalisme : non, en quelque sorte, le héros absolu, lui qui nous a fait, à l'avance, ses adieux !

DEUXIÈME PARTIE

L'amour, l'écriture

Un mois plus tard

« Ni lune ni soleil ni étoiles »
ne m'ont éclairé mais la nuit
et la lumière de l'amour en moi
ses rayons transpercèrent mon corps. »

GUNNAR EKELÖF

La visiteuse

1.

Elle est assise devant moi, la visiteuse. Driss qui nous a présentés est parti :

– Je ne veux pas rentrer à Alger dans le flot du trafic, sur l'autoroute ! s'excusa-t-il.

J'allais le suivre hors de la villa, pour remonter chez moi. Nadjia a dit, d'une voix qui me plut, une voix de contralto et dans un français au rythme un peu lent :

– Vous, Berkane, n'est-ce pas... Je peux vous appeler Berkane ?

– Oui, bien sûr !

– Tenez-moi compagnie un moment, si ce n'est pas trop vous demander !

Je me rassis, restai silencieux. Je la regardai aller et venir, dans ce living. « Juste le temps de faire le tour des lieux », murmura-t-elle. Elle entra dans l'autre pièce où Driss lui avait posé sa valise.

J'ai tourné la tête un moment vers la mer. La baie, si large, donnait vers une terrasse extérieure, ce qui faisait le charme de cet appartement, à l'étage au-dessous de celui où je m'étais installé.

Autrefois, en famille, les premières années de l'indépendance, toute la parentèle nombreuse du côté de ma mère débarquait là, les week-ends de l'été et, à cet étage où ma mère et mes sœurs officiaient, sur la terrasse se réunissaient souvent, pour déjeuner, jusqu'à quelquefois vingt personnes, ou davantage. Plusieurs parasols nous protégeaient alors des regards des estivants qui s'installaient, eux, pour la journée, sur le sable.

Nadjia que je n'avais pas entendue revenir, me dit doucement, et tout près de moi :

– Cette maison doit vous rappeler les étés de votre jeunesse, n'est-ce pas ?

– En effet... Je suis parti en 70, il y a plus de vingt ans !

Je me suis levé, j'ai tourné le dos à la terrasse, à la mer ; je me suis assis à l'autre bout de la pièce.

– Les meubles de ce living restent les mêmes,

constatai-je, sauf qu'autrefois, mon père et ma mère étaient vivants !

Nadjia s'installa face à moi.

– Je sais ce que c'est, remarqua-t-elle d'une voix rêveuse. C'est le plus dur quand on part... Certes, mes parents, tous les deux, sont encore là (elle soupira), mais c'est ma grand-mère de Tlemcen, quand elle est morte, il y a quatre ou cinq ans et que je suis revenue, c'est elle, parce qu'elle fut ma vraie mère, qui m'a laissé un vide...

Je n'ai pas bougé. Elle se leva de nouveau : je ne prêtai plus attention à ce qu'elle faisait. Elle apporta, peu après, un plateau avec des verres et des tasses de café en porcelaine.

Elle se baissa, me sourit. Alors que je ne demandais rien, elle me servit et se servit ensuite en se rasseyant : un café chaud, un verre d'eau minérale, quelques gâteaux secs dans une assiette... À croire qu'elle avait habité là, ou que, étant auparavant venue ici, avec Driss (l'ombre d'un doute, soudain en moi), elle ne faisait, après tout, que reprendre des habitudes.

Elle avait posé café et verre d'eau. Le café était brûlant, je le bus à courtes gorgées.

Le silence entre nous. Elle me regardait. Je me dis que j'allais me lever, que cette invitée n'était pas la mienne, mais celle de Driss. D'ailleurs cet étage était celui de mon frère. Moi, je n'avais qu'à retourner chez moi, là-haut. Je ne bougeai pas.

En levant les yeux vers elle, je m'aperçus qu'elle regardait au loin, absente.

Soudain, elle parla, et j'eus une surprise : sa voix était gonflée d'une violence sous-jacente, comme quelqu'un qui trop longtemps s'est tu, a gardé un secret, s'est étouffé d'amertume ou de peine. Je ne sais, je n'eus pas le temps d'analyser. Elle intervint par quelques mots, et comme je parus hésiter, dans mon silence, elle répéta sa phrase, avec la même charge de force sourde :

– Cela fait des années que j'ai quitté ce pays, commença-t-elle. Chaque fois que je dois rentrer, pour la famille ou pour des affaires urgentes (elle eut un geste nerveux des doigts), je retrouve toujours comme une colère en moi !...

Je l'ai regardée avec attention : j'attendais.

– Puisque cette fois je me trouvais à Alger, grâce à la gentillesse de votre frère (qui m'a toujours aidée, nous étions à l'université ensemble), j'ai pensé : « Si je vais dormir et me réveiller face à la mer, au moins, je repartirai détendue ! »

Elle s'arrêta une seconde fois ; reprit :

– Je vous parle ainsi, parce que je voudrais m'excuser... Je vous ai dérangé, sans doute, dans votre solitude !

Je murmurai un non rapide. Inutile, me dis-je, d'entrer dans des propos mondains. J'ai demandé, assez directement :

– Vous avez parlé de colère. Pourquoi cette colère ?

Moi, me rappelai-je, j'étais autrefois parti, mais simplement pour partir ! Pour voir ailleurs !

C'est alors qu'elle dit, vivement, dans un mouvement du torse :

– Je voudrais vous raconter mon histoire... celle de mon grand-père...

Ses mots restaient en l'air, interrompus, une balle de ping-pong qui ne retomberait pas. Elle redit sa phrase telle quelle : craquelant non pas vraiment de violence, plutôt d'impatience. Je m'entendis répondre vivement :

– Raconte-la-moi, ton histoire, mais en arabe !

Dans mon dialecte, en effet, on tutoie, ni tendrement ni familièrement ; on tutoie : c'est tout ! Une langue de proximité, dirais-je, sans besoin d'habits de cérémonie.

Peu à peu, en l'écoutant avec attention, j'ai

compris que, rouvrant une profonde et ancienne blessure, elle espérait, devant moi, la refermer enfin.

2.

– Le grand-père, commença-t-elle en arabe, je l'appelais Baba Sidi, et c'était ainsi que mon père lui-même l'appelait toujours ; je le vois, l'aïeul, même à présent, sur la photo sous verre de notre salon (j'en garde une copie plus petite dans mes voyages), je le vois dans sa quarantaine élégante : un homme brun, pas très grand, un visage de Méditerranéen, rasé de près, avec une ombre de moustache fine sur la lèvre et un léger sourire. Il porte un complet de coupe anglaise (il avait, semblait-il, par ses costumes comme pour ses voitures, décidé d'être anglais). Mais oui, un grossiste en tabac qui avait réussi assez rapidement, il se payait, lui, l'Arabe à la clientèle autant européenne que juive et musulmane, le confort le « plus chic » : les voyages en Turquie ou en Italie, en sus de Paris et, un été sur deux, la cure à Vichy (il n'avait jamais, par contre, programmé les lieux saints de La Mecque). Par le personnage qu'il s'était choisi, par la réussite indéniable de ses affaires, dont il faisait profiter son petit cercle de musiciens juifs et arabes, il se voulait un gentleman d'Oran. Il parlait, me dit-on, un français parfait, lui qui n'avait fréquenté que l'école primaire, mais qui achetait des livres, des livres, et qui s'abonnait à des journaux autant politiques que hippiques.

Voyez-vous, Berkane, je ne romance pas : je vous décris vraiment mon grand-père ! Pas un personnage de théâtre, un bourgeois et un snob certes, un viveur peut-être mais, finalement, ce type d'homme ne pouvait exister, à l'époque de l'Algérie coloniale, qu'à Oran, cette métropole-carrefour, autant espagnole que française ou africaine ! Si je vous parle de Baba Sidi ainsi, c'est évidemment parce que ma grand-mère, Lla Rekia, elle, dame musulmane très pieuse, bourgeoise raffinée et traditionnelle, illettrée en français, mais parlant espagnol couramment et l'arabe le plus pur, avec accent tlemcénien ou fassi (comme on voulait), malgré sa vie cloîtrée, régnait sur toute une société de femmes – elle, l'épouse amoureuse de son mari, et qui, des décennies après la mort violente de celui-ci, entretint auprès de moi sa mémoire.

Mes grands-parents eurent deux enfants : une fille aînée, morte toute jeune mariée, à la suite d'une épidémie de typhoïde ; ma grand-mère, ébranlée par cette perte, avait tout reporté sur le seul garçon, Habib, mon père donc, qui fut enlevé, d'autorité, de l'école dès l'âge de quatorze ans : Baba Sidi entendait diriger lui-même son apprentissage de futur homme d'affaires.

Quand Habib eut dix-neuf ans, on le maria très traditionnellement à une jeune fille du même milieu : elle avait dix-neuf ans elle aussi et était allée à l'école française jusqu'à douze ans.

Le mariage de mes parents, Habib et Anissa, eut lieu début 54. À l'époque, à Oran, même en novembre de cette année-là, qui se souciait de ce qu'on appellerait assez vite « les événements » ? Mais lorsque la mort, début octobre 57, a frappé sous mes yeux, ce fut plus qu'un drame ! J'en reste encore marquée. Jusqu'à ce jour, la vie coulait douce, joyeuse et tranquille, dans la vaste maison de Baba Sidi, entourée de bougainvilliers, rue des Jardins, un des quartiers d'Oran les plus animés et les plus recherchés par les familles bourgeoises.

Nadjia se leva, alla chercher une carafe d'eau, se servit, me servit sans rien demander, lancée qu'elle était dans ce long monologue. Elle me regarda, me redécouvrant presque, et me sourit faiblement :

– Mon introduction est trop longue. On dit qu'au théâtre, il est meilleur d'aller directement au fait, à l'action qui éclate, au nœud qui brutalement se rompt, aux cris ou à la folie de la douleur. Peut-être, mais je ne vous raconte pas le dernier film, non : l'histoire de ma famille, de Baba Sidi et de sa femme, ma grand-mère, c'est mon histoire, où que j'aille – et je bouge beaucoup, exprès peut-être, et je n'habite plus Oran depuis longtemps, exprès aussi peut-être... (Elle rêva.) Le malheur, vous le transportez parfois jusqu'à l'autre bout du monde !

Le temps semblait immobile, avant ce fatal jour d'automne 57 ; je pourrais évoquer longuement mon enfance, mais aussi le couple Baba Sidi-Lla Rekia, leur quotidien avec musique et voyages, et invités, une vie facile, hospitalière : le bonheur en somme... Peut-être est-ce cela que je devrais vous raconter !

Mais, si j'en parle tant, c'est parce que ce fut le seul bonheur que je connus – un bonheur décrit et regretté par ma grand-mère qui me gardait la nuit et le matin sur ses genoux, qui m'habillait, qui me sortait avec elle, dans ses voiles de laine ou de soie, selon la saison. Je dirais même que ce bonheur d'enfant, c'est maintenant pour moi l'odeur de ma grand-mère – Nadjia eut un fléchissement dans la voix, elle ajouta, plus bas : Du moins quand elle ne pleurait pas, car, au fur et à mesure que je grandissais, à peine parlait-elle d'« avant le jour fatal » qu'elle pleurait ! Chaque matin, après sa prière, quand elle évoquait « Baba Sidek », « ton Baba Sidi », elle se remettait à pleurer, ses larmes longtemps coulaient en silence !

Mais je grandissais, revenue de l'école, je lui racontais : ma maîtresse, mes copines, françaises et arabes, mes petits succès. Les yeux encore mouillés, elle me souriait, elle soupirait : « Ma reine, ma princesse ! », elle riait avec mes rires, elle écoutait mes récits : Mma Rekia était démesurément fière de moi. Puis, sa mémoire se cabrant soudain, elle murmurait : « Baba Sidek », « ton Baba Sidi », et elle se remettait à pleurer, même après des années !

– Tout ce détour, reprit Nadjia, pour en venir à un seul jour : celui où mon grand-père Larbi fut assassiné par le F.L.N., exactement le 10 octobre 1957...

La bataille d'Alger allait se terminer peu après ! me rappelai-je. J'avais onze ans juste ; ce sera mon avant-dernière année de classe.

– Vous aviez quel âge ? demandai-je à Nadjia.

– Je n'avais que deux ans et quelques mois ! Cela peut paraître peu vraisemblable, mais j'ai pu tout reconstituer de cette journée funeste... Je dis bien « reconstituer » car le traumatisme premier, je l'ai vécu. Sur ce choc, j'ai eu le temps d'accumuler des strates, les multiples relations, celle de mon père, celles de tant de femmes. Les femmes de la maison des Hadj Brahim, comme on nous appelle, à Oran...

Elle reprit souffle, la récitante :

– Dès 55, me raconta ma grand-mère, Baba Sidi se mit à cotiser pour les nationalistes : avec un sentiment naturel de la solidarité de groupe, mais aussi une certaine distance. Les demandes de cotisation, l'année suivante, s'étaient mises à augmenter, et de plus en plus. Baba Sidi se mit à protester : « Que voulez-vous ? Que je ne travaille que pour vous, alors que les fêtes, les noces continuent de plus belle, dans les trois communautés. Mais en exagérant ainsi, vous cherchez à me mettre sur la paille ? »

Et c'était vrai, l'augmentation de la rançon relevait, semblait-il, d'une stratégie de provocation. Pour les Oranais, la vie allait son train dans les fêtes, les soirées. Il fallait frapper, sans doute, les esprits et, pour cela, viser les plus en vue économiquement.

Car Baba Sidi n'avait pas su prendre des précautions : s'adresser à plus haut parmi l'échelle des nationalistes clandestins ; de plus riches que lui avaient su mieux calculer !

En fait, le grossiste en tabac Larbi Hadj Brahim ne s'était jamais intéressé à la politique. Les soirées, il les passait avec ses musiciens, qu'il entretenait ostensiblement : il ne renonçait pas à ses habitudes de grand seigneur.

Mma Rekia me raconta que, le premier jeudi d'octobre 57, alors que Baba Sidi fermait plus tôt et qu'il rentrait dans sa demeure, le quémandeur habituel l'attendait devant sa porte.

Il le fit entrer et asseoir sous le préau qui donnait vers le jardin intérieur. Mais ma grand-mère, inquiète, veillait derrière les persiennes d'une de ses fenêtres. Elle ne voyait, du visiteur, que son dos ; celui-ci, assis, et son mari, debout.

Elle entendit Baba Sidi s'exclamer, le visage empourpré : « *Bi Allah !* Où voulez-vous que je trouve une telle somme ? Et la saison des fêtes a à peine commencé ! »

De l'homme dont Mma Ria n'apercevait que le dos, elle entendit le débit très bas de son discours et comprit confusément qu'il passait aux menaces...

J'ai pris aussitôt ma décision ! me dit-elle plus tard. En quelques minutes, je mis sur ma tête un châle de laine, j'allai à ma commode. Je sortis ma boîte à bijoux privée (chaque année, ton grand-père me faisait des cadeaux de prix). J'ai versé presque tout, en vrac, sur un plateau en argent et je suis sortie, les bras ainsi chargés, vers eux.

L'homme qui parlait se retourna, surpris. Je le regardai à peine, je ne me suis adressée qu'à mon mari, sur un ton décidé :

– Sidi, lui dis-je, je comprends que tu n'as pas assez pour aider le Front (on disait en arabe *el djebha*). Eh bien moi, à ta place, je donne tous mes bijoux ! Prenez-les tous, ils sont vraiment de prix ! C'est alors que je me suis tournée vers l'inconnu, assez jeune, et qui baissa les yeux.

Mon mari allait me réprimander : sortir ainsi devant un étranger ! Celui-ci d'ailleurs partit sans même saluer. Je me souviens avoir dit, devant ces bijoux que l'autre ne prit pas :

– Donne, donne-leur tout, ne marchande pas, ô Sidi ! Pourvu que toi, tu vives !

Il ne répondit pas, il me fit rentrer dans ma chambre et tandis que je rangeais mes bijoux, je compris, à son silence, qu'il était vraiment menacé !

Cela, se souvenait avec précision ma grand-mère, ce fut au début d'octobre 57.

Le dimanche qui suivit, la plus jeune des servantes qui vivaient dans la maison entendit assez tard des coups de heurtoir à la porte. Toute la famille était réunie pour le dîner, dans le second patio, à côté du jasmin et des lauriers qui embaumaient.

Touma se précipita à la porte, mais devant l'heure tardive, ne voulut ni ouvrir ni alerter quelqu'un de la famille.

– Qui est-ce ? demanda-t-elle, le cœur en alerte.

Lui parvint une voix de mendiant. Un vieillard, dit-elle, et qui, au nom de Dieu et de son Prophète, demandait l'aumône aux fidèles.

Étrange, pensa-t-elle, les mendiants habituels, et surtout les quémandeurs au nom de la charité islamique, se présentent aux portes des bourgeois le matin ou juste après la prière du milieu de la journée !

Par soudaine appréhension, Touma répondit à l'inconnu en se faisant passer pour la maîtresse de maison ; elle en prit le style et utilisa les formules convenues :

– Ô créature de Dieu, remets-toi à Dieu ! Il est trop tard pour t'ouvrir. Reviens demain, mais dans la matinée. Dieu est avec toi !

La voix du mendiant qui aurait pu poursuivre sa complainte s'arrêta net.

– Il n'a même pas insisté ! s'étonna Touma, et la jeune fille se sentit encore plus méfiante.

Néanmoins, elle n'osa en parler à quiconque ce soir-là.

Le lendemain matin, à la première aube, Baba Sidi s'apprêtait à sortir, comme toujours, le premier. Son fils Habib se hâtait toutefois pour l'accompagner : le lundi est un jour de travail intense... C'est mon père qui me continua le récit :

– Je suis sorti, je me souviens, j'ai trouvé, près du portail, dans un recoin, mais bien visible, une babouche de mendiant qui traînait. « Une seule ? » ai-je pensé et, du pied, je l'ai frappée légèrement. J'ai remarqué : « Une seule babouche et pourquoi traîne-t-elle là ? » Mon pied, aussitôt, a reculé : il y avait en dessous comme une tache, plutôt une petite flaque rouge. « Du sang ? » me dis-je, troublé.

Quand mon père a raconté cela, sa voix a dit : « Du sang ? » puis il s'est tu, puis...

Nadjia se lève ; comme si tout s'arrêtait.

Or moi qui écris désormais, des jours et des jours plus tard, je reconstitue, je me ressouviens de Nadjia, de sa voix qui se remémore : je saisis, j'encercle son récit, sa mémoire dévidée, en mots arabes que j'inscris, moi, en mots français, sur ma table, alors que... tandis qu'elle parlait, nous nous trouvions encore à l'étage au-dessous : Nadjia n'était pas entrée chez moi. J'écris, oui : je suis le scribe, un petit scribe solitaire.

« Du sang ? » C'est Habib, le fils, qui a interrogé ; et sa voix a comme expiré.

Les femmes s'activent dans la maison, depuis le vestibule toujours ombré et parfumé de jasmin en cette saison. Tout là-bas, au fond du patio étroit, avec des grappes de glycines violacées, encerclant les colonnes torsadées de marbre rougi et grimpant, luxuriantes, jusqu'à l'étage, les femmes – jeunes et vieilles – et les fillettes qui sortent, qui vont et viennent à l'école Georges-Lapierre (école française naturellement), elles toutes, les dames avec leurs fillettes, les invisibles, rêveuses figées parfois ou affairées ou ensommeillées, toutes, l'une après l'autre, ce jour-là, font circuler, à mi-voix ou excitées soudain, la phrase étonnée, étonnante du fils unique Habib, lui, l'héritier de son père, le « jeune faon de notre avenir », comme l'appelle parfois sa mère Lla Rekia :

– La phrase, quelle phrase ? pourriez-vous dire.

– Celle à propos de la babouche, unique et perdue, semble-t-il, la babouche du mendiant de la veille, venu si tard – c'est Touma qui se rappelle...

– La babouche qui traîne et Habib a dit...

– Qu'a dit notre prince ?

– Habib a frappé du pied le soulier : « Qu'est-ce qui traîne donc là ? », a-t-il murmuré, puis...

– Puis il a vu la tache, une petite flaque écarlate : « Du sang ? du sang séché ? » s'est-il exclamé.

Et Habib, quelques secondes après, a perdu la voix...

– Sa voix, reprend une autre des femmes, dans un souffle.

L'écho de la voix de Habib :

« Du sang ? »

– Sa voix a expiré, soupire la troisième des femmes de la maison, soudain ouverte au-dehors, à la rue...

Car elles se sont toutes précipitées jusqu'à la porte béante. La porte de la demeure des Hadj Brahim, rue des Jardins.

Cette aube-là du 10 octobre 57, rue des Jardins, Oran, Algérie.

Il n'est pas encore huit heures quand Habib, marié depuis trois ans et père d'une fillette de deux ans et quelques mois, marche à côté de son père qui se hâte.

Une longue rue, puis un boulevard bordé de platanes. Baba Sidi, tout en se pressant, converse avec son fils qui l'écoute respectueusement évoquer les clients annoncés pour cette matinée. Habib n'a pas voulu faire de remarque à son père, à propos de la babouche qui traînait.

Un homme jeune s'est approché, l'allure plutôt d'un paysan, mais avec le regard vif. Il leur fait face, s'arrête, apostrophe le père qui tranquillement fait halte. Habib a pris le bras de son père.

– Larbi Hadj Brahim ? interpelle l'inconnu, qui tend le bras, mais enveloppé sous la laine de sa toge.

Baba Sidi hésite, commence par répondre : « Au nom de Dieu, que me veux-tu ? » Habib entend seulement les premiers mots de la réponse paternelle : « *Bi...Allah.* »

La rafale a éclaté, répétée. Larbi est tombé de toute sa hauteur sur la face, le ventre, les bras écartés. Et, dans tout un giclement de sang qui fuse, Habib, dans un sursaut désespéré, s'est jeté sur le corps étendu de son père, criant, hurlant :

– Mon père ! Ô mon père !

Spasmodiquement, en palpant tout le corps abattu, il se barbouille à son tour, le visage, la poitrine, les bras, tout entier, il s'asperge lui-même, il s'inonde, il se noie :

– *Abba !... ô Abba !*

Les passants accourus en foule tentent de détacher le corps hurlant et ensanglanté de Habib qu'on soulève, qu'on emmène pour enfin recouvrir et emporter le cadavre chaud de Larbi Hadj Brahim, la victime.

Les cris de Habib qui continue : « *Abba !... ô Abba !* Mon père ! » et il refuse qu'on tente de l'essuyer du sang de celui qui lui parlait encore, le sang de la voix qu'il entend encore. Les témoins luttent contre le fils, le jeune homme de vingt-deux ans qu'on veut maîtriser.

– Il a vu le sang de son père !..

– Il est plein du sang de Hadj Brahim !

– Il ne veut pas qu'on le lave !

Les hoquets de Habib, les hurlements de mon père que, malgré lui, l'on s'efforce d'éloigner du cadavre de son père.

Alors Lla Rekia surgit dans la rue : là-bas, sur le seuil de la maison à la porte grande ouverte, une mendiante est venue informer les femmes : Lla Rekia, en coiffe mauve et robe longue de satin. Elle a oublié le voile, la sacro-sainte étoffe, de laine ou de soie, le *haïk*, la tunique, le fichu, pour la première fois depuis sa puberté, l'épouse de Larbi, la mère de Habib est sortie « nue », seule sa coiffe aux franges brillantes couvrant ses cheveux tressés. Elle a couru, elle a hurlé à son tour, elle est devenue aussitôt une vagabonde des rues, une furie en liberté : et c'est seulement devant les transes de son fils ensanglanté qu'elle s'arrête.

D'autres témoins, des amis de son mari cherchent à la calmer, malgré ses cris informes :

– Rentre chez toi, Lla Rekia !

– Cela n'est pas décent ! La volonté du Très-Haut !

Mma Rekia hurle, rugit et, telle une tigresse, ne peut ni être touchée ni être muselée, devant le fils, elle cherche qui, quoi, elle hurle et c'est comme un chant fauve dont on ne comprend rien !

– Si Larbi... c'est trop tard, l'ambulance l'a emporté !

– Son corps, hélas, sans vie, Mma Rekia ! Remettons-nous à Dieu, à sa miséricorde !

On mit une heure, deux heures pour maîtriser le fils et l'épouse. Lla Rekia sans son voile et sa coiffe de moire mauve traînant dans l'une de ses mains... Couple de délirants, la mère et le fils.

C'est moi, la fillette de deux ans qui, non loin de notre maison, les contemple, eux ! Moi, accroupie sur le trottoir, percevant à la fois la houle des cris et des voix mêlées, ceux des voisins entourant Mma Rekia et Habib, mon père, c'est moi qui vois revenir ce couple enchaîné, ils s'approchent, ils ne me voient pas, mais moi, je les fixe, je les dévore des yeux, je les entends, j'entends distinctement la scène, des décennies après ce jour d'octobre, à Oran.

Le père de mon père, grossiste en tabac à Oran, assassiné ce jour-là par le F.L.N. : mon père Habib et sa mère, Lla Rekia, l'un accroché à l'autre, je ne sais plus dans quel ordre – il me semble parfois que c'est ma grand-mère qui, hurlant toujours, maintient droit, de son bras devant elle, son fils qui la devance et qui, sans elle, fléchirait... Oui, je les vois tous deux, tituber. Je les attends : leur marche vers moi me paraît soudain infinie, lente et sans halte, comme un chemin haut de l'enfer. Je dis l'enfer car je vois mon père et son sang, ou plutôt le sang de Baba Sidi sur les joues et le nez, sur le front de mon père... Oui, ils viennent vers moi, tanguant, pas trop sûrs, mais ils approchent : on va les contraindre à rentrer, à se laver, à se purifier, et moi qui ne les ai jamais vus ainsi, je sais déjà – mais confusément – qu'ils ne seront plus jamais les mêmes !

Elle, la vieille (ce ne fut qu'après qu'elle fut vieille), lui, le jeune homme, mon père : l'un et l'autre, l'un lié à l'autre, ce fut ce jour-là, je crois, qu'ils perdirent la raison… Ils devinrent à jamais des figures du délire. Les si proches de moi, ces brûlés à jamais, ces inguérissables : à cause du sang dont ils se sont trempés !

Moi, fillette de deux ans, je demeure accroupie, tout près justement de la babouche perdue du vieux mendiant. Accroupie, je les attends, les observe dans leur approche ; je dois déjà souffrir avec eux, je le sais. Comme si cette douleur échevelée, accouplée allait m'emmailloter, moi, à jamais ! Non, pas à jamais ! Non, après ce jour du sang de Baba Sidi, j'irai partout dans le monde et partout, je décide que j'oublierai.

3.

Nadjia s'est tue : un monologue déroulé devant moi, presque comme si je l'avais écoutée par effraction. Devant ou à cause de mon silence, elle m'a tout à fait oublié. Elle était redevenue la fillette de deux ans.

Deux ans ; elle approche presque de quarante ans maintenant : une femme épanouie, ancrée mais où donc ? Dans cette scène du premier drame, ou dans la douleur ininterrompue de son aïeule, qu'elle a transportée en chacun de ses exils ?

Quand elle eut fini, elle s'est servi à boire, elle a marché de long en large devant la baie, à cet étage où je n'étais pas descendu avant qu'elle s'y soit installée, « seulement pour deux ou trois jours », avait-elle dit, à son arrivée, lorsque Driss, mon frère, me l'avait présentée.

Je lui ai alors proposé une diversion :

– Ma voiture n'est pas encore au garage : si vous voulez, nous pourrions aller quelque part, finir la soirée !

– Merci, fit-elle. Je suis bien, là, avec vous ! Je préfère bavarder, et pas seulement du passé.

Elle rit, d'un rire de très jeune femme. Savait-elle comment détacher d'un coup les peaux de sa mémoire : l'assassinat du grand-père ainsi que le délire du fils, tout ce drame ? Nadjia s'allégeait devant moi : comme si elle déposait un manteau peut-être, pas forcément sa douleur.

J'ai fixé avec acuité son visage tourné vers moi : lisse, des yeux au regard étincelant et un sourire en coin.

Ce fut confus en moi : cette sorte de résurrection que je lisais sur ces traits, ce profil intact, alors qu'elle venait, quelques minutes auparavant, de souffrir à vif, comme une enfant.

Je l'ai, en un éclair, désirée. Elle le devina, je crois, car je choisis, cette fois à dessein, le tutoiement de notre dialecte commun pour l'inviter :

– Viens, si ça te dit, chez moi, à l'étage audessus : pour bavarder plus à l'aise : il y a à boire, il y a à manger !

Elle me sourit, me précéda en silence dans l'escalier de pierre qui, à l'extérieur, réunissait les deux étages. Elle frissonna de froid, dehors, à l'air nocturne.

Une fois chez moi, en lui apportant l'une de mes vestes pour la couvrir, je l'ai enlacée spontanément : elle me tendit ses lèvres.

Après l'amour, peu après, dans le lit, elle s'assoit, toute nue et tranquille. Elle se replonge dans le passé : des souvenirs épars, gais et presque tous liés à l'école française.

Je la regarde autant que je l'écoute : ronde, pulpeuse, dans sa nudité de brune. Pourtant, et avec ce sillage de plaisir persistant entre nous, auréolant ses épaules, ses hanches, ses bras qui entourent ses genoux (comme si, en maillot, elle s'était accroupie face à moi, sur la plage), peu à peu, je ne vois que son visage, à moitié hors de la flaque de la lampe : ses sourcils épais, à l'arc parfait, ses paupières un peu gonflées, souvent baissées, ses lèvres pulpeuses qui s'immobilisent, par instants.

Son regard s'absente, cherche loin, puis elle reprend, un sourire de gaieté légère la transformant à nouveau.

Oui, je la contemple intensément, autant que je l'écoute – sensible depuis le début aux différences de son dialecte, à quelques mots un peu rares que j'ai oubliés, dont je devine le sens ; surtout, je suis touché par son accent si particulier comme si elle m'était proche et lointaine à la fois.

Son parfum de violette, frais, indéfinissable, m'enveloppe : il restera, pour moi, longtemps lié à elle. Sur ce, elle m'interroge, assez bas :

– Je peux parler ?

– Certes, Nadjia.

– Mon dialecte ne te gêne pas ? Ma mère est marocaine, je parle comme à Oran, mais un peu aussi comme ma mère !

– Je te réponds, moi, dans mon algérois de la Casbah ! dis-je placidement.

Elle rit, puis m'avoue, avec une surprise de soulagement :

– Cela fait si longtemps que je ne parle pas arabe dans l'amour et... (elle hésite) et après l'amour !

J'allais lui dire que je n'éprouvais plus, moi, un besoin compulsif de la toucher, de la palper : l'écouter et ne pas bouger, même dans le noir, surtout dans le noir... Je n'eus pas à m'expliquer.

Elle revint s'allonger près de moi, elle se frotta contre mes flancs. Je n'aurais pas su dire alors pourquoi je pressentais que j'allais m'attacher à elle ou, en tout cas, en demeurer longtemps troublé.

Elle soupira :

– Je ne suis pas tout à fait rassasiée de toi !

Ces simples mots, avec la langueur de sa voix, cet aveu d'une ardeur presque goulue, qui semblait lui échapper dans un soupir, réveilla ma faim : de sa peau, de son haleine et, encore plus, de ses mots.

Je la pris violemment, sans apprêt : je crois, sans caresses, cette fois. Elle se plia et, devant mon désir presque brutal, elle fut docile, silencieuse aussi, excepté une douce et longue plainte, vers la fin.

Je dus m'endormir aussitôt, je ne sais combien de temps. Vaguement, je l'entendis sortir du lit, partir sans doute sur la pointe des pieds : je crois bien que m'avait saisi un habituel rêve tumultueux et informe d'autrefois.

À mon réveil, je mis quelques minutes pour me rappeler que je dormais vraiment au pays, « chez moi », que le bruit des vagues allait et venait vraiment sous mes fenêtres, que... Les mots arabes et les soupirs de Nadjia la veille effacèrent le reste.

Le téléphone sonna dans la pièce à côté. Je ne me suis pas levé pour répondre : de Paris ou d'Alger, peu m'importait ! Je prenais conscience de la lassitude de mon corps, demeuré si longtemps chaste, jusque-là.

Les heures qui suivirent, cette matinée d'octobre, j'ai nagé paresseusement, la mer était tiède ; puis j'ai préparé le poisson que Rachid m'avait apporté.

« Écrire », me dis-je !

J'ai écarté de la main les lettres pour Marise, non envoyées.

« Écrire pour moi », décidai-je et la voix de la visiteuse de la veille m'a absorbé longtemps. J'ai pensé : « Pour la décrire, la réentendre dans le silence de cette chambre – qu'elle a emplie, cette nuit, de ses râles ! »

« Écrire enfin, mais pour moi seul ! »

4.

Une nuit,

une deuxième,

une troisième nuit avec Nadjia, avant cette dernière, nous n'avons pas quitté ma chambre, nous avons vécu dans mon lit, pour ainsi dire.

Entre deux nuits, elle est partie – « des affaires urgentes à régler à Alger ! » avait-elle soupiré. Je l'ai entendue faire démarrer la voiture, repartir à la capitale « juste pour la journée, pour ces formalités en cours, je reviens aussitôt ! » avait-elle promis, en français cette fois – elle m'a tendu ses lèvres dans le vestibule, elle s'est collée contre moi, debout, à moitié habillée ou avant de se rhabiller tout à fait, elle a promis, doucement, en mots arabes presque de caresse (*Ya habibi !* disait-elle pour ponctuer ses phrases), elle a promis que, de retour avant la nuit, elle viendrait directement chez moi, pour une autre nuit, « exactement comme celle-ci » et elle ajouta, tout contre mon oreille – soudain j'oublie ses mots de douceur, mais pas le sens, pas sa respiration, pas son parfum mêlé à l'odeur de nos draps, et peut-être de ma transpiration à moi, je ne l'oublie pas, et l'odeur de mon sperme sur elle, j'ai tenu à la humer une dernière fois entièrement avant qu'elle ne sorte, elle, debout dans le couloir, moi, la plaquant contre le mur, elle retenant son souffle, me laissant la lécher de haut en bas, accrochant ses doigts dans mes cheveux, ma tête déjà sur son ventre, ses hanches, elle relevant sa jupe, je l'entends au-dessus de moi soupirer, râler, un long feulement, un début de chant rauque, et ces deux mots, *ya habibi !... ya habibi !...*, moi, je m'étouffe presque contre ses reins, je la tourne, la retourne, elle soupire encore une, deux fois, toujours appuyée contre le mur, mon visage à moi, ma bouche vorace et qui a soif, et qui a faim, je la parcours entièrement de ma langue, moi buvant cette femme dans tous ses creux et ses interstices, encore et encore, pour qu'elle revienne, elle est revenue, le soir suivant, elle a frappé deux, trois fois contre le bois de la porte, elle n'avait pas vu la sonnette, j'avais déjà entendu la voiture s'arrêter, devant le portail en bas, je n'avais pas bougé – sa promesse du matin, dans le couloir, était fichée en moi, j'attendais, je n'étais pas si sûr : suis-je resté collé à elle et contre sa peau et entre ses jambes tandis qu'elle allait à la banque, chez Driss pour ses affaires, à l'agence de voyages pour son billet d'avion, j'attendais tout ce temps –, elle a ouvert la porte après avoir frappé, ou plutôt gratté le bois trois fois, elle a fait quelques pas toujours dans ce même couloir, je l'ai enlacée, emprisonnée, je l'ai fait revenir dans cette chambre : mon invitée, ma visiteuse, mon amoureuse, « ma reine », comme disait Lla Rekia.

De toute cette journée, je n'avais quitté mon lit que pour ma table – écrire café après café, écrire encore, être dans la voix de Nadjia et dans le souvenir de sa jouissance, m'installer surtout dans la chaleur de son dialecte, de ce *ditié* d'amour particulier à ma visiteuse, mais où chercher le secret, quelle porte ouvrir, par quelle issue ? Je ne suis pas sorti de la journée, à peine, à partir de la fenêtre, ai-je observé longuement la mer au loin, la mer murmurante proche, je suis descendu furtivement, tel un voleur dans ma propre maison lorsque Rachid a sonné, m'a remis le poisson sur un plat d'étain, a senti que je n'allais pas parler, ni m'attarder, comment lui dire que, à cause de tous ces mots écrits ou remémorés, j'avais perdu ma propre voix, mes deux langues soudain brouillées, confondues, emmêlées, comment lui expliquer ce nœud en moi – et cette mémoire compacte du plaisir ?

Dans ma main, les petits rougets, fraîchement pêchés, sentaient bon. Je lui souris, en signe de remerciement, montrai ma gorge, comme si vraiment une angine m'avait saisi. Sûrement, il allait s'inquiéter pour moi : je lui mis la main sur l'épaule, cordialement, lui fis signe, transformé en malade devenu muet, que le lit m'attendait. Je fermai en hâte la porte devant lui. J'oubliai Rachid.

Elle a frappé légèrement à la porte. J'ai ouvert, je l'ai enlacée à l'entrée.

– Je t'attends, ai-je chuchoté, en français.

Ses yeux riaient entre mes mains. Je l'ai déshabillée : comme une fillette redevenue, ce fut comme si sa grand-mère veillait là, en fantôme, dans notre chambre...

Dressée nue, avant de redevenir une femme à moi offerte, elle effleura de la main, nonchalamment, les pages volantes écrites par moi et emmêlées sur la petite table, tout près. Elle m'a souri en silence. N'a rien demandé sur mes écrits. Je n'aurais pas eu le courage de dire que ces pages qui s'éparpillaient, peut-être, demain, je les jetterais sans les relire – pleines, malgré mes mots français, pleines de sa voix de la veille, de la nuit passée, de celle qui nous attendait. Elle, dans mes bras, froide et chaude, palpitante bientôt. Heureux, pensai-je, en un éclair, heureux les musiciens qui peuvent, grâce à leur mémoire plus subtile, ne rien perdre du son du plaisir partagé, surtout partagé, embrouillé, accouplé... Du bruit de la vie pleine, qui pourrait se tresser, mais qui coule cependant.

Je revins à Nadjia, intensément, après cette seconde de rêverie (un jour peut-être, avec elle, avec quelle autre femme sinon, être en symbiose des mots et des sensations, penser instantanément, peau contre peau, est-ce utopie ?). En cet instant, ô mon amoureuse, je suis un prince, je suis un roi, un jouisseur de harem où tu règnes multipliée, car je sens, à l'instant de ton frôlement de ta main nue sur la table, tandis que ton corps déshabillé et dans une attente tranquille se laisse contempler, à cause même de cette attente, je sens que je suis un barbare sans l'obsession du viol, un corsaire sans désir de rapt, je t'ai trouvée, hier ou avant-hier peu importe, tu es venue par inadvertance, car tu n'as pas arrêté de courir depuis ce jour de tes deux ans, pour fuir le sang, le cadavre du grand-père, la folie du père, les pleurs et l'amour de celle qui t'appelle à jamais « sa reine » et tu deviens ici, ma reine, à moi désormais, elle m'a passé le flambeau...

– *Habibi !* murmures-tu, nue et te recroquevillant contre moi, sur la couche.

C'est un mot de ta douceur à toi seule, ton antienne.

Moi, je n'ai que mes deux mains, j'y mets d'abord tes yeux encore et encore, pour contempler l'arc de tes sourcils, tu baisses tes paupières, c'est bien, je peux les baiser, suivre du doigt l'ourlet de chaque lèvre puis être plus exigeant, affamé, tes seins, chacun dans la coupe de mes paumes, je désire les faire frémir, réveiller de toi un désir brut, peut-être sans tendresse – celle-ci sera nécessaire dans l'après de ton prochain départ, hélas !

Je voudrais susciter lentement ton désir, je n'ai plus assez de temps pour te connaître, toi, pour savoir le rythme de ta jouissance, je suis un analphabète de ton corps, et nous n'avons que cette nuit, l'avant-dernière, car la dernière sera autre, elle sera pleine, trop pleine de mots, de mots nouveaux, de mots à garder, maintenant, je veux te connaître avec précision : comme une rosée le matin, une tempête à midi, un orage du soir, savoir comment ton corps est nerfs, est douceur, est mollesse, est frémissement ou même refus, je n'ai pas, nous n'avons plus assez de temps, nous aurions dû avoir toute ta journée perdue à Alger, dans les rues des autres, dans le dehors de poussière et des voyeurs... Je te veux, Nadjia, lentement et hâtivement, avec confiance pour que nous connaissions de l'éternité non la satiété, mais pas non plus une sinueuse frange. Je me découvre exigeant, parce que tu es revenue et que nous avons notre temps : ne pas dormir, surtout ne pas dormir ! Te connaître jusque dans la fatigue, il me faut tous les souvenirs puisque je t'ai trouvée, non, retrouvée, petite sœur, je t'ai rencontrée alors que tu vas partir, tu es la passante, tu deviendras mon fantôme, où allons-nous, quand allons-nous...

Qui a dit que l'amour de deux corps comme les nôtres peut devenir un long travail, qui a dit qu'une femme dont on tombe amoureux après une seule nuit d'amour, mais ce fut dans le suspens, entre la première nuit et la seconde que je fus prisonnier de sa chair et de sa voix à la fois, et de sa jouissance et de ses seins dans chacune de mes paumes, qui dira qu'elle n'est plus une passante, qu'elle devient mon épouse mon enfant ma jumelle ? Cette nuit seconde fut un long, si long voyage, à la fois une chasse redoublée dans l'espace nocturne et une durée sans limites, nous chevauchions ensemble montagnes et vallées étranges, de pays inconnus à nous deux, Orient unique prolongeant la nuit et aubes d'Occident se succédant ensoleillées, un voyage et une poursuite, avec tantôt des râles, des spasmes et des syncopes, rythme d'accélération humide, non échevelée, plutôt coulée, effeuillée parfois. Rythme du plus profond de mon ouïe, je suis sûr aussi de ton écoute, je t'entends, une seule fois, gémissant ensuite : « Tu me tortures, tu me fais mal ! » Je savais combien ces mots arabes, frémissants, n'étaient que sensuels, moi, ma bouche s'ouvrant dans la tienne – mon désir de sentir jusqu'à l'intérieur de ton palais, jusqu'à tes dents, jusqu'à t'asphyxier presque, oui, dans ta bouche profonde je veux l'intérieur tandis que je pénètre ton antre secret, et m'y roule, et m'enroule, et m'enfonce, te malaxe, t'innerve, te gonfle, t'enrichis, t'humidifie, moi en toi, si du moins je le pouvais, je t'entends qui gémis, tout au fond, le son dernier de volupté est étrangement premier, une douceur sans âme...

– Tu me fais mal ! Tu...

De tels mots arabes ne sont pas de dureté, mais d'amour fléchissant, mais violent, appelant la complicité déchirante, brûlante. Je te fais mal, oh oui, je n'ai pas cédé, je n'ai pas cessé. Un sauvage en moi soudain : que tu ouvres les yeux, que tu voies mon visage, mon regard, non pas de cruauté, mais de volonté tenace à m'approcher de toi, sous ta peau, te marquer, te tatouer dans l'invisible de tes entrailles, ma sœur ma cruelle, toute volupté lucide est chirurgie, même si « je te fais mal », j'entends ta plainte, elle me laboure de même, exhale derechef ce soupir qui n'est ni douleur ni hantise, mais demande infinie, mais prière inlassable, contre toi-même, contre ton abandon, contre ma douceur qui va, dans un élan te réfléchir, nous allons à la dérive, dans une navigation de hasard, tant d'embûches à frôler, mais ensemble, dans un désert blanc, « je te fais mal », et toi tu me dévastes, je le pressens, tout reviendra pour moi après, bien après, regarde-moi, ô ma parente, l'amour, ainsi irréductible, se tient en travers de la volupté... Comment, sinon, aboutir à notre connaissance intérieure ?

Nos visages à présent déliés, moi, mes mains la pétrissant, tout entière, mes jambes l'emprisonnent par les hanches et ses genoux pliés sous mon ventre. Liés, enchevêtrés, libérés, mes doigts reparcourent toutes ses jointures, mes yeux à nouveau contre ses yeux, je reprends mon refrain, serait-ce une douleur, une hantise, une torture :

– Tu as mal ? Oui, cela est nécessaire, le temps, pour nous, est mesuré ! Que tu ne m'oublies pas de sitôt !

Elle fait non, elle secoue la tête, entre mes mains, ses cheveux longs lui tombent dans les yeux, mais je veux aussi voir son regard, le voir chavirer ou durcir, ou se fermer égoïstement, je veux...

Plus souple que moi, Nadjia se dégage. Me chevauche, je la laisse faire.

– Soumets-moi à ton tour ! Je suis ton prisonnier, et j'ajoute, sans savoir pourquoi, mais avec l'accent exact de mon dialecte maternel : Ô ma sœur (*ya khti !*).

Fut-ce ces deux derniers mots, légèrement différents sans doute de son parler, qui déclenchèrent chez elle comme un tournoi verbal, une gerbe de préciosité, improvisée, surtout joyeuse ?

Au-dessus de moi, en cavalière nue, les bras en l'air, elle me déverse de si longs vers qui roucoulent, qui s'envolent et m'éclaboussent en même temps. Je n'en comprends pas le sens exact, elle va trop vite et trop gaiement, mais je sais qu'il s'agit de paroles d'amour d'une longue chanson oranaise, elle la scande, couplet après couplet, de sa voix vibrante et qui tangue, elle mime – mais quoi ? – dans ses caresses sur moi, sur mon visage, sur mon ventre, sur mon sexe. Elle finit par avouer, avec un rire d'enfant, que le chanteur qui avait popularisé autrefois ces vers – « même si cette chanson n'est plus à la mode », concède-t-elle, amusée – a été le compagnon de beuveries de son père ! « Car il lui a fallu du temps, à mon père, pour dépenser presque tout l'héritage ! » Elle se tait, s'absente un instant. « Pour oublier, dans les soirées et la poésie, oublier tout le drame ! »

Nous avons dû somnoler, de concert, elle s'assoit dans le lit, mais contre mes hanches, et évoque pour elle, pour moi :

– C'est toute mon enfance et mon adolescence, cette chanson : l'ai-je jamais fredonnée depuis ? Oui, une fois, à l'autre bout de la terre, en Inde, il me semble ou en Égypte, j'ai oublié : l'enfance, toute ma famille, ma grand-mère surtout, tout est redevenu proche et j'ai pleuré !

Elle se raidit, effleure de ses doigts mon visage attentif, mes lèvres. Elle me sourit :

– Tu m'aurais chanté, toi, ce poème arabe, alors que j'avais dix-sept ans – juste avant de fuir ma ville –, je ne t'aurais pas quitté : je serais partie, bien sûr, mais avec toi. Elle chuchota, comme pour elle seule : Je serais encore avec toi, depuis !

Je l'ai réenlacée en silence. Je la sentais soudain douce, et différente.

– Que j'aime, lui chuchotai-je dans l'oreille, ces longs vers d'amour, et j'ai suspendu, à temps, le souhait : « Toi, toujours dans mes bras ! »

C'est alors qu'elle m'a dit, protestant presque, et lasse : « Ne parlons plus ! Les mots, qu'est-ce qu'ils apportent de plus ? »

Elle a interrogé, un peu abruptement et en français, cette fois. Ses yeux sombres souriaient, je reçus leur ardeur et il n'y eut plus que ses mains approchant, frôlant mon visage, il y eut ses épaules, toutes ses courbes, la plénitude à nouveau de sa nudité ; à nouveau son impudeur lente, précautionneuse, navigante, celle d'une danseuse des temps anciens, et cela nous liait... Elle se veut la nochère du navire de nos désirs, mon aimée et nous remontons le flux des silences assombris ! Royaume liquide de mon amoureuse !

Qui dira un jour combien l'amour, dans sa durée, est diapré mais de quoi : bien sûr, des mots qui ne s'écrivent pas... Elle trouvait des mots d'hier, de l'autre siècle, de nos communs ancêtres oubliés et elle me les offrait, ces vocables, l'un après l'autre, à chaque scansion, à chaque rebond de notre volupté : ce fut comme si sa langue, soudain inconnue même de moi, creusait un long et sinueux parcours. Nos deux corps, en postures irrégulières ou se réfléchissant, traversaient, souples et immobiles pourtant, une immense forêt éclairée de rayons de lune.

Notre double haleine ; jusqu'à nos lassitudes,

notre fatigue, cette longue nuit qui tanguait, sans nous séparer. Je ne sus pas qui de nous deux s'endormit le premier ou le plus longtemps : les deux corps (et je parle de ce couple, parallèle à nous, nous doublant, nous redoublant) restèrent liés, me semble-t-il, au point que, réveillé juste avant l'aube et mes yeux à plat contemplant la chambre sans la reconnaître, ce furent d'abord mes doigts, caressant machinalement le ventre et les hanches de Nadjia contre moi, et la ligne de ses reins, et l'un de ses seins, ce fut à ce moment que, réveillé tout à fait, je crus vraiment – à moins que tout fût illusion – que mes rêves de cette nuit d'amours tumultueuses, mes songes qui s'étaient nourris de tant de volupté avaient dû certainement s'infiltrer, comme une eau suintante, dans le subconscient de mon amante, pas tout à fait réveillée.

Illusion ? Même pas. Fin de cette nuit riche, engorgée de caresses, d'aveux aussi car, pour ma part, avais-je pu réveiller, ressusciter pour elle – qu'au cœur de la jouissance, j'avais appelée « ma sœur » « *ya khti !* » – tout ce que j'avais voulu oublier, nier, de ma vie d'adolescent à la Casbah ?

Non !

Je promis de lui parler, à mon tour, de me chercher, de m'abandonner durant notre prochaine nuit : la dernière.

J'eus faim juste avant l'aube ; toute la journée, je n'avais pas mangé.

– J'avais préparé des rougets. En vinaigrette, comme des anchois...

– Et qu'est-ce qu'il y a d'autre ?

– Une salade de poivrons, je crois.

– Du pain, je désire du pain et de l'huile d'olive !

Nous sommes allés dans la pénombre. Nous ne voulions pas nous habiller : dans l'obscurité, nous avons tâtonné. Je lui ai trouvé du pain.

– À chaque fois dans l'amour, c'est le besoin soudain de pain qui me prend (elle rit). En réalité, il s'agit des galettes que me faisait ma grand-mère. On les trouve encore, même à Alger, dans quelques marchés populaires.

Elle rêvait et, tout en mangeant, ses pieds nus sur mes genoux, elle dévorait à pleines dents sa tranche de pain, avec un rouget dessus et quelques olives dénoyautées :

– Ce qui se rapprocherait le plus de la galette

de ma grand-mère, ce sont les *nan* des restaurants indiens. Si une fois tu me vois te demander d'aller manger indien, tu sauras que la nostalgie me prend ainsi, de tout le reste !

– Celle de ton enfance avec ta grand-mère, ou celle de l'amour qui te donne si faim ?

Elle ne répondit pas. J'aimais bien cet entracte. Cela me donnait l'illusion qu'on pouvait disposer, à nous deux, de toute une vie encore... Mais je me tus ; je m'attristais ainsi.

Journal d'hiver

1.

Notre dernier jour ensemble... Je suis hanté par nos paroles, discussions, remarques, découvertes, et chacun parfois, sous le regard de l'autre, se souvenait comme s'il était seul, mais avec une mémoire plus tenue, remettant à jour des détails, des incidents que chacun, isolé, aurait pu croire vraiment perdus : comme si ce regard et cette attente de l'autre, le jumeau, vous restituaient le monde intact, en un film ineffaçable.

À Nadjia, le matin du dernier jour, j'avais proposé d'aller nous baigner, juste face à la maison, elle refusa en silence, hochant simplement la tête. Je me mis soudain à lui parler de ma Casbah : l'état de déliquescence où je l'avais retrouvée, quelques jours auparavant :

– Je suis revenu, je croyais ici me sentir revigoré : avec le désir d'écrire enfin, d'une façon continue et pas en dilettante... Certes, je voyais parfois le cadre de mon retour, en image d'Épinal : me retrouver dans une maison arabe d'autrefois, modeste et sans confort, mais avec terrasse. La mer au loin, et les bruits des femmes, des enfants dans les patios voisins !

Nadjia a éclaté d'un rire léger, presque moqueur :

– Autant aller t'installer à la médina de Tanger ! Avec une vue moins ample que celle de la baie d'Alger, mais les mêmes bruits... Quelques Anglais, en mal d'exotisme, autour de vous... Une vie en somme du siècle passé !

– Peu importe, répondis-je. Je suis bien ici, dans ce village de bord de mer.

Un peu plus tard, dans la journée, elle me dit doucement – elle, de nouveau dans mes bras :

– Tu n'es qu'à une heure de la capitale... Tu vis en ermite, comme dans un désert. As-tu réalisé que tout près de toi, le pays est devenu un volcan : les fous de Dieu, ou plutôt les nouveaux Barbares s'agitent, occupent des places publiques, mobilisent les jeunes chômeurs, et surtout, surtout, maîtrisent les nouveaux médias... Tu sais, j'ai l'impression qu'ils vont gagner les élections !

Elle me caressa le front, me chuchota avec une caresse :

– C'est ce moment que tu as choisi pour rentrer, quitter le calme parisien !

Je nous vois, quelques minutes après, face à face, de part et d'autre de la table du séjour. Nadjia a continué :

– Ils gagneront ! me dit-elle, le buste tendu au-dessus de la table et, véhémente, de sa même voix basse, elle reprit, comme en urgence :

– Je te le répète, les fous vont prendre les rênes... et, réponds-moi maintenant, parce que je veux partir tranquille : vos chefs, qu'est-ce qu'ils vont faire, comment vont-ils parer le coup ?

Je me suis dressé ; j'ai regardé la mer, une seconde. Cette petite bonne femme, si désirable et qui me parlait comme dans un meeting d'étudiants !

– D'abord, rétorquai-je, ce ne sont pas « mes » chefs : ni les militaires et les flics, ni les autres, en complet-veston ou en djellaba... Jugez-les, madame, d'abord à leur langage. Ils se disent, depuis des décennies, des « responsables ».

J'ai souri, amer :

– Je n'ai jamais su, quand j'écoutais ce jargon, si ce mot qui a fleuri ici avec l'indépendance, ce terme de « responsable » était venu de l'arabe (*el Mes'oul*) et avait été traduit ensuite en français... auquel cas, l'abus de sens est dans le français car *el Mes'oul* devrait être traduit par « celui qu'on interroge », ce qui suppose dialogue, parole de part et d'autre, ce qui signifie que ce *mes'oul* a à répondre à un questionnant, à dire, certes, ce qu'il peut savoir... mais pas à décider, lui, et surtout pas, au nom des autres.

C'est donc le français, comme langage politique, qui est en défaillance chez nous et cela dure, dans notre classe dirigeante, depuis plus de trente ans ! Tous ces petits mandarins qui se regardent, à tout propos, dans le miroir de Paris et des politiciens français. Sauf que ces derniers, plus roués, eux, usent d'un langage apparemment modeste : ils se considèrent comme des « élus » et ils le sont, malgré tout ! Ici, hélas, Nadjia, vous voyez quelquefois le leader – ancien maquisard ou condamné à mort, ou héros authentique (trois mois ou trois années de bravoure dans sa jeunesse –, s'installer ensuite, pendant des décennies, dans ce soufflé verbal, c'est une dégénérescence pareille, je crois, à celle des maisons, si belles autrefois, de ma pauvre Casbah !

Nadjia m'avait écouté, attentive. Elle se leva, se remit à argumenter avec patience, et son entêtement me surprit :

– Mais les autres, de l'autre côté, les fanatiques, as-tu senti leur fureur verbale, la haine dans leurs vociférations ? Leur langue arabe, moi qui ai étudié l'arabe littéraire, celui de la poésie, celui de la *Nahda* et des romans contemporains, moi qui parle plusieurs dialectes des pays du Moyen-Orient où j'ai séjourné, je ne reconnais pas cet arabe d'ici. C'est une langue convulsive, dérangée, et qui me semble déviée ! Ce parler n'a rien à voir avec la langue de ma grand-mère, avec ses mots tendres, ni avec l'amour chanté de Hasni El Blaoui, le chanteur vedette d'autrefois, à Oran. La langue de nos femmes est une langue d'amour et de vivacité quand elles soupirent, et même quand elles prient : c'est une langue pour les chants, avec des mots à double sens, dans l'ironie et la demi-amertume. – Elle me sourit alors si près, son visage contre le mien, pour me dire, à mi-voix : Et tu le sais bien, *ya habibi*, il y a cet arabe pour la sexualité, presque pudique, restant au bord, allusif, mais si prometteur...

Dressée soudain, elle cria dans la chambre :

– Quel jargon, dis-moi, ils parlent, ceux-là ? Qu'est-ce qu'ils hurlent... ?

Elle m'avait préparé, dans ma cuisine, une soupe algéroise, parfumée à la coriandre, juste par coquetterie de cuisinière, pour me prouver sa science. Elle me la fit goûter, j'avais avoué que je l'aimais épicée : elle l'était mais je n'avais plus vraiment faim.

Nadjia avait tout déclenché comme si, d'un coup, elle avait ouvert des volets en pleine tempête et le vent engouffré avait tout bouleversé : les objets, les désirs, jusqu'à notre émotion. J'en étais même à oublier que le temps filait, que nous avions, nous deux, une autre urgence, que... Elle reprit d'autres évocations comme si, en effet, elle tenait à garder encore les fenêtres ouvertes sur l'orage, dehors. D'un air de me dire : « Voilà devant quoi je te laisse ! Regarde, mais regarde donc ! »

Le ton de ses paroles redevint calme, même si son inquiétude demeurait visible :

– J'ai pris, dit-elle, comme toujours, beaucoup de taxis, à Alger, ces temps-ci. Avant, je dialoguais avec joie avec les chauffeurs : nombre d'entre eux sont assez âgés, et ils vous font part d'emblée, pour peu qu'on les interroge, du nombre de leurs enfants, de ceux qui vont à l'université, de leurs filles qui réussissent si bien dans de nouveaux métiers ! C'était un plaisir pour moi, ces conversations, même rapides, à Oran, à Alger ! Maintenant (elle soupira), je sais qu'on va bientôt vers une campagne électorale : cela, parce que beaucoup de ces chauffeurs de taxi mettent aussitôt que vous entrez une cassette en marche. Et ce n'est pas une chanson égyptienne, pas du raï à la mode, oh non, c'est la diatribe d'un leader islamiste qui s'égosille dans la voiture ! Vous refusez de prêter attention à ce flux verbal, mais le conducteur vous fait savoir fièrement que le discours a été enregistré la veille, à Constantine, à Batna ou à Blida ! Il vous précise : « Devant deux mille, devant cinq mille spectateurs, dans un stade ! » Pire que les matchs de football de mon adolescence !

Elle raconte, Nadjia : elle est en verve, j'oublie presque sa colère ou sa rage rentrée. Je me détends à l'entendre :

– La plupart du temps, continue-t-elle, à peine je réalise que je vais payer pour ce fonds sonore de vociférations, que j'interviens vivement : « Vous m'arrêtez ce bruit, immédiatement ! » Certains chauffeurs le font ; pas tous. L'un a même stoppé son taxi sur un boulevard et m'a dit, hostile : « Tu descends ! » Si j'avais parlé français, il aurait eu plus d'égards, me prenant pour une touriste ! Je suis descendue et, deuxième erreur, j'ai fait l'effort de le payer, car après tout, il me restait cinq minutes à pied... Tu sais ce qu'il m'a dit en me rendant la monnaie et en me fixant avec un œil globuleux ? Mon petit décolleté l'avait, je crois, offensé !

J'attendais, amusé, devant la conteuse qui mimait la scène, en continuant son récit.

– Dans un mois au plus tard, toutes les femmes ici seront décemment vêtues !

– On verra, lui rétorquai-je pour ne pas me laisser impressionner. Les femmes votent comme les hommes, vous savez !

Elle me regarda, encore plongée dans la scène de rue. Elle haussa les épaules :

– Quand je dis « décolleté », c'était parce que je m'étais baissée et qu'il avait aperçu la base de mon cou et un centimètre de peau, plus bas, sans doute ! Il me voulait déjà, dans un mois, en tchador noir, de la tête aux pieds...

Plus tard, ce même jour, ce fut moi qui, à brûle-pourpoint, plongeai dans un passé plus lointain :

– J'aimerais te raconter, Nadjia, comment, en janvier 62 – six mois avant l'indépendance –, dans le camp où j'étais détenu (j'allais avoir seize ans), arriva parmi nous un nouveau. La trentaine, il n'a pas dit de quelle ville il était originaire. Il ne raconta pas ce qu'il avait enduré, lors de son arrestation. Silencieux d'abord, il nous regarda vivre, une journée, dans notre train-train. À la fin, il s'étonna que, dans cette cellule de deux cents prisonniers (j'étais, avec un autre, le benjamin), l'on n'ait pas organisé, le soir, des discussions politiques. D'abord, ce terme de « politique ». On s'est regardés, chacun de nous savait pourquoi il était là, ce qu'il avait fait dehors et ce qu'il n'avait pas fait... Mais « politique » ? C'était abstrait, ce n'était pas nous. Et pourquoi des discussions ? On passait le temps, nous, comme on pouvait : ceux qui fumaient, ceux qui jouaient aux cartes, ceux qui... « Discuter ? » On l'a regardé : en somme, c'était déjà un *mes'oul*, mais il semblait modeste, il ne posait pas. Il s'étonnait du niveau, je dirais primaire, de notre engagement. Il s'est lancé dans une démonstration : que nous serions plus forts si nous parlions de l'après... Après ? Oui, du temps après !

– Et pourquoi discuter ? dit l'un. Après, eh bien, après, on attend d'être libéré. On aimerait bien savoir quand, donner des nouvelles à la famille !

Un autre a ajouté :

– Après ? Eh bien, ce sera l'indépendance ! On est tous à attendre l'indépendance ! Quand est-ce que cela va arriver, tu sais peut-être quelque chose ?

L'autre, le nouveau venu, haussa les épaules. Il s'impatientait :

– Il faut parler entre nous, car il faut nous préparer, une fois cette indépendance obtenue !

Il semblait avoir un programme : pas le nôtre, qui était, pour chacun, simplement de retrouver sa petite famille, d'être sûr de les retrouver tous en vie ! Et voilà que cet homme (de l'allure, comme un sportif et nerveux : il commençait à m'en imposer, à moi) se lança dans un discours assez éloquent, qu'il termina par une phrase en français :

– Après l'indépendance, conclut-il ardemment, il y aura plein de questions à discuter, de directions à choisir... Par exemple, voici une question essentielle, et il passa au français, seulement alors : « Est-ce que l'Algérie sera un pays laïc ? »

Certains, autour de moi, s'empressèrent de traduire cette phrase à ceux qui ne parlaient qu'arabe ou berbère : « l'Algérie », ils n'avaient pas besoin de traduire, tous avaient répété *el Djezaïr* ; « un pays », bien sûr, ils ont traduit. Mais ils ont tous buté sur le mot : laïc.

Ce dernier mot, je me souviens, a circulé comme une rumeur autour de moi. La plupart avaient compris l'*Aïd* avec prononciation française – car « laïc », ils n'avaient jamais entendu ce vocable, durant ces six ans de lutte collective. Certes, depuis fin 57, même à la Casbah, l'organisation nationaliste avait été décimée : les uns tués, d'autres en fuite ou réfugiés aux maquis : à leur place, étaient apparus les « bleus », les collaborateurs des paras français...

Quelqu'un a fini par interpeller l'orateur en arabe :

– Mon frère, qu'est-ce que vient faire l'*Aïd* ici ?

Et, en effet, pensèrent la plupart, cela fait bien longtemps que l'idée même de la fête (« l'*Aïd* » en arabe) ne nous effleurait plus. Le nouveau venu nous fixa, stupéfait :

– J'ai dit – et il répéta le mot français, en décomposant les deux syllabes : LA-ÏC !, pas l'*Aïd* !

Je te rapporte cette scène, Nadjia, et je m'aperçois que ce terme de laïc n'avait pas encore, pour nous tous, son reflet en arabe... De nombreux mots arabes et berbères existent pour désigner un « consensus », un « conseil de représentants », un « diwan », je ne sais quoi encore. Mais, la laïcité ? Un vide, un non-concept, chez chacun de nous, dans ce camp et, je dois l'avouer, un vide aussi dans ma tête d'alors ! À seize ans, en entrant dans ce camp du Maréchal, j'étais un analphabète politiquement.

Nadjia se taisait. Moi, j'ai rêvé un instant à cette scène qui avait resurgi. Comme si cet homme, un Algérien comme nous, dans le même bain que nous (l'arrestation, la détention) avait voulu prendre le taureau par les cornes, et pourquoi : pour qu'on discute ! Le principe même de passer une soirée à « discuter » ? Il y avait les soldats ; et il y avait nous : c'était simple. Il s'agissait de tenir !

Pourquoi ai-je raconté, à Nadjia, cette histoire du camp. Peut-être parce qu'elle avait si bien mimé sa dispute avec le chauffeur de taxi qui assurait que, dans un mois, toutes les femmes du pays seraient, de gré ou de force, « décemment vêtues ».

Nadjia, qui avait écouté avec quelque amusement, changea de ton :

– Tu devrais repartir ! me conseilla-t-elle.

Et elle me parla de ses voyages. Son compagnon était italien.

– Je me sens chez moi à Rome, à Padoue... surtout à Padoue...

– Ma voyageuse, mon errante, ma...

Elle mit sa main sur ma bouche :

– Rêvons un peu ! fit-elle. Ma grand-mère m'a laissé une petite maison, dans un vieux quartier de Tlemcen. Dans dix ans, dans quinze ans, je serai presque vieille. Je fais un vœu : je voudrais vivre avec toi dans la maison de Mma Rekia, et c'est sûr, jamais je ne te quitterai ! soupira-t-elle.

Le lendemain du départ de Nadjia, j'ai eu besoin, dans ce petit cahier tout neuf, d'inscrire notre dernière conversation : « Le pays est devenu un volcan », disait-elle.

En même temps, me revenaient les derniers soupirs de l'amante, ses souhaits proférés, d'une voix presque triste, comme si elle faisait un vœu, mais qu'elle ne croyait pas à sa réalisation : « Dans dix ans, à Tlemcen ! » Elle avait ensuite déclaré que si nous devions vivre plus tard ensemble : « C'est sûr, jamais je ne te quitterais ! »

Un aveu ? Exprimait-elle son désir de rester avec moi, désir qu'elle avait projeté dans un lointain avenir à Tlemcen, à défaut de la Casbah ?

Je me dis à regret : « Tu n'as même pas répliqué : et pourquoi pas tout de suite ? Pourquoi ne resterais-tu pas ici, le plus longtemps possible ? » Sans doute, me dis-je à retardement, avait-elle espéré ce souhait de ma part. À nos derniers instants, l'intensité de notre relation était telle que je ne pouvais croire, en fait, au départ de Nadjia : comme dans un jeu d'enfant, je ressentais si fortement sa présence que je perdais de vue le réel. Tout devenait jeu et volupté, et la prosaïque réalité qui allait nous déchirer, je ne la percevais même plus !

Nous parlions de l'avenir, des voyages qu'elle

ferait, et je demeurais sous anesthésie : le charme de sa présence, le débordement d'émotions de part et d'autre, mon emportement que je contenais masquaient, éloignaient le reste.

Or elle partit.

Oui, je me suis hâté d'écrire pour saisir un peu du poids de sa présence à elle.

J'aurais dû prévoir l'état de manque sonore (c'est sa voix qui me manque surtout) dans lequel je me trouverais, pourquoi n'ai-je pas songé à enregistrer Nadjia ? Dans une des valises non encore ouvertes, j'ai un petit magnétophone : pour conserver le bruit des vagues, certains jours... Mais vivre avec Nadjia m'a fait oublier qu'elle s'éloignant, je tomberais dans le vide de l'inaccoutumance... Je ne peux qu'écrire, avec une déformation inévitable : lorsqu'elle parlait arabe, comment, me rappelant ses phrases et les rapportant dans l'autre langue, mon écriture pourrait-elle être vraiment un baume à son absence ?

Pourquoi cette embardée des souvenirs ? L'adolescent de seize ans que j'étais, cet homme, au camp, qui nous parlait de laïcité. « Tiens, me dis-je, il s'appelait Rachid comme le pêcheur ! Que devient-il, ce Rachid ? »

Et j'ai, en un éclair, désiré le retrouver, savoir

ce qu'était devenu ce Rachid, englouti depuis si longtemps dans mon oubli. Voici que ce mot de « laïc » avait surgi, comme une torpille hors du noir !

La scène entière, avec le cercle des détenus ; moi, le benjamin qui regarde... « LAÏC ! » La voix de ce Rachid a détaché les deux syllabes et il n'en revenait pas de constater dans quel état de passivité d'esprit nous endurions cette détention ! À deux cents, tout de même : nous étions déjà, dans cette cellule, tout un peuple !

Tous ces hommes faits, des chefs de famille, paysans et citadins, qui avaient souci de ne pas nous montrer, à nous les plus jeunes, l'état de vacuité dans lequel nous étions tous. Or, il avait suffi d'un mot ! D'un mot français et que l'on n'avait pas pu traduire ! Avant d'être arrêté, j'avais, pendant deux ans, travaillé comme apprenti typographe. Au travail, on aurait pu me demander : « Petit, comment tu traduirais en arabe le mot : laïc ? » Cela aurait pu se produire, avec les collègues de chez Guiauchin, pour imprimer quelque brochure scolaire.

Je devinais, confusément, que ce mot de « laïc » avait un sens moderne, qu'en le discutant, cela nous aurait permis de progresser, nous qui ne rêvions que de l'indépendance... Je sentais que ce Rachid se hâtait sur la route, pressé et loin, devant nous...

2.

Novembre (je ne sais plus quel jour) Douaouda-sur-Mer, à l'aube.

Je n'écris pas en alphabet arabe ; celui-ci aurait mieux convenu pourtant pour exprimer un peu de notre fusion, comme du temps où, sur la planche, à l'école coranique de la Basse Casbah, je recopiais les plus courtes sourates, celles de la fin, les plus faciles. Enfant, j'inscrivais les bribes du texte sacré même sur papier de soie, sans savoir que cette calligraphie ne servait pas pour guérir, mais pour bénir seulement et prévenir tout malheur !

Dans l'ombre de Nadjia, j'écris en français dans la fièvre et l'insomnie, sur le sillage des instants de la volupté évaporée. Mon alphabet latin est, tout de même, celui qui, sur cette terre, a traversé les siècles ; il fut creusé sur des pierres rousses, puis oublié dans des ruines. Mais celles-ci demeurent, pour la plupart, somptueuses.

Il y a un peu plus d'un mois, je décrivais à Marise mon retour ici, et le rythme nonchalant de mes journées. Marise, ma confidente ! Sans crier gare, est apparue Nadjia, à présent disparue ! Si je voulais écrire à Nadjia, je n'ai aucune adresse. Pour tout l'or du monde, je ne la demanderai pas à Driss.

Nadjia, à mon oreille, n'arrête pas de soupirer :

– Il y a si longtemps que je n'ai pas parlé arabe dans l'amour... – un silence, puis : Dans l'amour, et après l'amour !

Cette voix de si proche langueur : déplacer ces mots arabes, les faire glisser pour les garder en langue seconde ? Ses mots, proférés dans notre langue maternelle, je les entends dans leur musique particulière : et le français me devient une porte étroite pour maintenir l'aveu de volupté, qui scintille dans l'espace de mon logis.

Stances pour Nadjia

Je n'écris que pour entendre ta voix : ton accent, ton parler, ta respiration, tes râles.

Je m'installe en scribe devant toi, face à toi, contre toi, au-dedans de ma parole silencieuse.

En français, je continue ma seule trace, ma seule traque, vers toi, vers ton ombre.

Écrire et glisser à la langue franque, c'est le moyen sûr de garder, tout près, ta voix, tes paroles. Ce prolongement d'échos dans ma chambre, face à la mer et à son horizon, net comme un fil du désir, m'aide à garder espoir que ma parole – moi aussi « celle d'après l'amour » – vous atteigne un jour !

Comme si, au fur et à mesure que je persiste à m'adresser à vous, s'insinue l'angoisse que vous ne reviendrez plus, que je ne vous retrouverai nulle part, moi, Orphée vieilli, renonçant à aller vous chercher jusque dans les ténèbres !

Je ne m'adresse alors à vous qu'en arabe, ma sœur-amante – vous dans mes bras. À présent, je nous imagine à Rome, la rumeur de la Piazza Navona nous parvient par la fenêtre de la chambre d'hôtel. J'échange avec vous mes mots d'enfant, je vous pénètre à nouveau, sur une couche basse, n'importe quel matelas posé à même le carrelage bleu, la porte entrebâillée vers un patio écrasé par la chaleur. Nous nous retrouvons ensuite peut-être en Sicile, mais au cours d'un autre siècle, passagers enchaînés, sinon l'un à l'autre dans ces étreintes de nos retrouvailles, liés oui, par les mêmes mots de l'enfance que laisse échapper la fureur : violence des autres, douceur exigeante pour nous deux seuls, je t'appelle dans mon dialecte andalou : *ya Khti !*, ma petite sœur, notre endogamie n'est qu'apparente, nous sommes semblables et pourtant contraires, silencieux, sourcilleux pareillement...

J'écris dans votre ombre, dans une langue de solitude dont la lumière me blesse ! Ce français va-t-il geler ma voix ? Tandis que ma main court sur le papier, serais-je en train de tendre un linceul entre toi et moi ?

J'écris pour vous ? Tout contre vous ? De sentir que c'est pour vous seulement, me voici, soudain, de plain-pied (pour la première fois de ma vie) dans ma langue d'écrivain, installé en profondeur, prenant racine, pourrais-je dire.

Je me suis révélé, dans l'exil, écrivain non persévérant !

Grâce à vous, plus je cherche mes mots, plus je trouve un rythme à moi, peut-être parce que je désire vous atteindre, vous reprendre, sinon dans mes bras, au moins dans cet élan de ma volonté...

Mon écriture, tendue vers vous, devient ma peau, mes muscles, ma voix : mon français fluctue pour que vous l'entendiez, comme vous entendiez le bruit des vagues sous ma fenêtre, vous vous en souvenez ?

L'amour-passion n'est point excès de mots, de caresses, de violences dans la fusion qui se prolonge, il est tatouage sur du papier à lire : au cas où je ne reviendrais ni vers vous ni vers...

Je vous écris : je vous parle, je me maintiens contre votre ouïe...

3.

25 décembre

Est-ce vraiment un journal que je commence, ces jours d'hiver (demain, le jour du vote pour le premier tour des élections, je n'irai pas voter : je ne me suis pas inscrit à temps sur les listes électorales).

Driss m'appelle : il est bouleversé par le résultat plus que probable du premier tour des élections. Le mécontentement populaire est allé gonfler le camp islamiste. Driss dit qu'il travaillera jour et nuit, avec ses confrères, pour la sortie de leur hebdomadaire.

Nadjia avait pressenti la dérive. Demain, au moment où cette menace sera répercutée, même en dehors du pays, elle pensera à moi, « l'ermite », a-t-elle dit.

J'ai repensé à la scène du camp que, devant elle, j'ai évoquée. Ce faux sens de *laïc* transformé en *Aïd* semble tragique aujourd'hui : devant la masse de ces « désoccupés », âgés de quinze à vingt ans, qui se nomment amèrement, en arabe, « ceux qui soutiennent les murs » et qui, pour meubler leur oisiveté forcée, entourent en admirateurs les quelques « émirs » revenus d'Afghanistan, la même scène qu'au camp du Maréchal, en 1962, pourrait se rejouer.

Celui qui lancerait à ceux-ci l'affirmation que « notre jeune État est une République laïque ! » il lui serait répondu aussitôt par la colère ou l'insulte. Et c'est la haine puis la division qui annoncent l'approche de la discorde civique.

Je l'ai dit l'autre jour à Marise au téléphone. C'est toujours elle qui appelle, le plus souvent, le dimanche matin... Elle a prétexté, une fois, que, la communication étant moins chère ce jour-là, nous pouvons parler plus longtemps... J'ai senti qu'elle devait retourner à notre hôtel, au moins pour sa cafétéria... Elle reste tendre et j'ai pu plaisanter, avec une légère ironie :

– Sais-tu quand je saurai que j'ai un remplaçant dans ton cœur ?

Elle attendit, avec juste un petit rire, et j'ai ajouté :

– Quand tu ne m'appelleras pas un dimanche !

Elle ne protesta pas. Elle tenta de dévier l'attendrissement qui allait saisir au moins l'un d'entre nous :

– Je voulais te donner envie de faire, au printemps, un voyage avec moi !

– Tu viendrais jusqu'ici ? ironisai-je. Ce pays ne va pas être désormais très accueillant aux touristes...

– Je pensais... (Elle hésita.) Une semaine en mars en Haute-Égypte, non ?

Je n'ai pas réagi, je ne quitterai pas le pays. Mais j'ai été précautionneux, saisi d'un flux de reconnaissance pour Marise, à sa manière, si fidèle :

– Je voudrais te dire, grâce à toi et parce que

je suis revenu, je sens que ton amour de ces années m'a... J'ai hésité une seconde... pacifié !

J'ai su aussitôt le poids de ce mot : Marise m'a rendu la paix avec moi-même, moi, l'Algérien émigré, travaillant en France, chez « eux » ! En reposant l'appareil, j'ai repensé aux paras, à ceux qui ont tué, ce soir d'hiver 57, mon oncle maternel qui hurlait, dans notre rue Bleue, ses adieux à tout le quartier. Oui, j'aurais pu parler à Marise de cet oncle, transpercé de balles parce qu'il n'avait pas respecté le couvre-feu... Je lui aurais déclaré ensuite, à elle que ma mère appelait la « Française » :

– Tu m'as pacifié ! C'est pourquoi j'ai pu effectuer ce retour, chez moi !

30 décembre 91

Le pays est en ébullition.

Je vais chaque matin acheter mes quotidiens que je lis chez mon ami épicier. Quelquefois, lui et moi, nous faisons une ou deux longues parties de dominos. Nous ne parlons guère des événements.

Devant ce tohu-bohu qui s'annonce, moi, il ne me reste qu'à écrire. Remettre les souvenirs de mon adolescence dans une continuité :

comme lorsque j'en ai revécu quelques scènes devant Rachid le pêcheur ou devant Nadjia.

Fin de l'année

C'est le réveillon. L'année 1992 va commencer dans quelques heures. La fête, en Europe du moins. (J'ai su assez tard le sens de ce mot « réveillon ». Je ne m'y fais pas.)

Ici, l'effervescence, mais aussi l'inquiétude.

J'ai commencé « L'adolescent » la nuit dernière. Je vis désormais en décembre 60, puis en 61... Une hâte me prend : ma mémoire piaffe comme un cheval qui veut, au plus tôt, sortir de l'écurie et s'élancer, courir jusqu'à l'horizon...

12 janvier 92

Le pays vit une révolution : un traumatisme, un coup d'État ? En tout cas, cela a tout l'air d'une impasse : choisir entre la caserne et la mosquée, et cela, pour diriger tout un peuple pas tout à fait guéri, même trente ans après, de ses plaies de la guerre d'hier !

Moi, je vis, pour mon propre compte, ma

révolution minuscule, ce qui requiert toute mon énergie :

« L'adolescent » se met à vivre devant moi. Il bouge, irréel mais fantôme proche, il rêve, écoute, regarde les hommes mûrs, les autres détenus comme lui !

Je pensais que l'écriture sur son propre passé développait une sorte d'égotisme. Mais non ! S'aimer en effet, mais, en quelque sorte, dans une forme d'anonymat.

Pour continuer à écrire, même en avançant dans le noir, il faut, après tout, s'aimer un peu soi-même ! Ne pas avoir démérité : le sentir confusément.

18 janvier

Cette nuit, encore ensommeillé, j'ai éprouvé un désir ambigu : pas amoureux ni sexuel, un peu comme doit être, il me semble, une femme enceinte qui sent le fœtus bouger en elle.

C'est ma mémoire qui m'a réveillé : une insomnie presque tumultueuse. La paresse m'empêchait de me lever : je n'avais dû dormir que quatre heures, mais, au fond de ma léthargie, quelque chose remuait, tanguait, se déplaçait.

Dans le pays, la violence a déjà commencé, de part et d'autre, mais on évite de la rendre publique, on croit parvenir ainsi à museler la fureur souterraine. Puis, il y a eu ce héros oublié : ce presque vieil homme, raidi, un peu sombre et si émouvant, acceptant finalement la charge du pays. J'ai regardé son image, sur les journaux, quand il descendait de l'avion : Boudiaf, le leader providentiel ? Bien sûr, beaucoup y ont pensé : comme de Gaulle, revenu au 13 mai, quand on craignait la scission du pays.

Je sortais de chez l'épicier. J'ai traversé un groupe de ruraux, attendant le car. Une paysanne, près de moi, alors que le nom du nouveau président courait de l'un à l'autre, oui, une voix de vieille femme s'est exclamée, en arabe, sur un ton d'inquiétude : « Que Dieu le protège ! Oh oui ! »

Mon cœur s'est serré, puis s'est adouci, car m'a touché cet accent de ferveur populaire.

J'ai parlé du nouveau président avec Driss au téléphone. Il est exagérément optimiste. Il m'a même dit, avec un rire si confiant :

– Comme pour toi, il effectue son retour au pays, ce héros du 1er novembre.

J'ai ri nonchalamment :

– Moi, je suis certes de retour, mais je n'ai rien d'un héros ! ça, j'en suis bien sûr !

Et Driss, naïf :

– Tu ignores sans doute (et il y avait de la candeur dans sa voix) que tu as été « mon » héros, pendant toute mon enfance !

Driss se trompe : dans le passé, j'ai été tout au plus un enfant-témoin au milieu de la foule lancée dans la tourmente !

14 février

La nécessité d'écrire est une poussée : lorsque l'être aimé s'en va et que vous ne pouvez plus l'oublier, vous vous mettez à écrire pour qu'il vous lise !..

J'écris, hanté par Nadjia, et j'espère qu'elle reconnaîtra ma voix, en me lisant, un jour, même à l'autre bout de la terre ! C'est fort improbable, mais pas impossible. J'écris dans son ombre et malgré la séparation. Je me réinstalle en territoire d'enfance, même si ma Casbah s'en va en poussière, en éboulis.

J'écris en terre d'enfance et pour une amante perdue. Ressusciter ce que j'avais éteint en moi, durant le si long exil.

J'écris en langue française, moi qui me suis oublié moi-même, trop longtemps, en France.

L'amour, l'écriture : je les expérimente, chaque nuit. Parfois, je n'entends plus la mer. À chaque aube, si royale en cette saison froide, il me semble apparaître au soleil, comme un dormant. Nadjia, ô ma grotte d'Éphèse où je dors seul, peut-être tout au plus avec un chien. Personne ne le sait, sauf moi, et toi qui me liras, j'espère.

Dans un an, dans deux ans, tu entreras dans une librairie, à Saint-Sulpice ou non loin du Grand Canal, à Venise. Tu achèteras ce livre ; tu le liras d'une traite. Tu prendras un avion, les jours suivants. Tu te présenteras, ici.

En m'embrassant, tu me diras :

– Je reviens comme promis : pour que nous allions vivre à Tlemcen, dans la maison de ma grand-mère !

Je ne ferai pas l'étonné. Ensuite, au lit, je te dirai mille fois :

– Je savais que tu tiendrais ta promesse !

Toutes les nuits, inséparables !

Toi, ma Casbah retrouvée.

L'adolescent

1.

Début décembre 60, à Alger, six ans après le déclenchement de la guerre d'indépendance : le feu couve à nouveau, il va fuser, à nouveau.

Cette fois, cela ne commence pas à la Casbah, mais dans des faubourgs populaires, de l'autre côté du centre-ville : à Belcourt. Des jeunes gens de quinze à vingt ans, suivis assez vite par des femmes de tous âges et sans voile, descendent dans les rues.

11 décembre : l'explosion inattendue. Clameurs en gerbes qui montent, mains nues élevées, ouvertes au ciel, ou alors déployant des drapeaux algériens sous le nez de soldats français prenant position, visages de défi criant : « Algérie algérienne ! » Deux mots scandés, repris aussitôt

plus loin et qui courent le long des rues, des avenues, au cœur des quartiers où des petits Blancs, stupéfaits, soudain s'enferment ou surveillent à partir de leurs balcons.

Moi, je vais sur mes quinze ans. Cela fait un an que je travaille : la famille (ma mère, ma grand-mère, mes sœurs) a vécu, durant des mois, de prêts et d'expédients divers ; cela, depuis l'arrestation de mon père, puis de mon frère, pendant la bataille d'Alger.

Il y a un an, un des voisins du quartier est venu me proposer :

– J'ai un ami, typographe, qui cherche un jeune apprenti d'un bon niveau scolaire pour un stage à la plus grande imprimerie d'Alger. Elle se trouve non loin du champ de manœuvre, ce ne serait pas très loin pour toi !

– Un bon niveau scolaire ? dis-je en hésitant.

Depuis que nous avions su, courant 58, le sort de mon père torturé terriblement, mais finalement relégué dans un camp de détention, au sud du pays, je n'allais plus à l'école de la rue du Soudan.

Je ne m'étais pas présenté à l'examen de sixième. J'avais pourtant promis au directeur, monsieur Benblidia, d'aller passer cet examen au Grand Lycée. Cela me fit peur : hors de mon quartier, me retrouver avec presque uniquement des garçons européens – car nous savions, nous, dans la rue, qui était juif, ou espagnol, ou maltais, ou (mais je n'en avais jamais vu, jusque-là chez nous) « français de France » !

J'avais assuré que je passerais l'examen, au brave et bon monsieur Benblidia, qui avait succédé au directeur Gonzalès, celui qui avait voulu me chasser de l'école, dans le passé.

Finalement, je ne m'étais pas présenté aux épreuves. Je ne voulais pas sortir de ma Casbah : mon père, en prison, mon frère Alaoua, arrêté à sa suite : il ne restait que moi comme homme de la maison. D'un coup, je me sentais libre, c'est-à-dire tout pénétré de mon importance par rapport aux femmes, en particulier à mes sœurs : qui veillerait sur elles, qui empêcherait l'étranger de leur manquer de respect ? Mes deux cadettes qui fréquentaient l'école (plus sérieusement que moi), j'étais prêt à me battre pour les défendre contre l'outrage (un regard de voyeur trop insistant, un mot de trop glissé sur leur passage). L'une avait onze ans, l'autre neuf !

Du coup, me voici considéré d'office, dans notre quartier, comme leur protecteur ! Je me trouvai ce prétexte, ou ce rôle légitimé (j'étais, après tout, fils du notable Si Saïd) pour ne pas aller passer l'examen et entrer au lycée.

Je me mis à traîner dans les cafés maures. J'appris à vendre, l'après-midi, des bandes dessinées pour les bougres illettrés qui se pressaient autour du cinéma Nedjma : en attendant la séance de films égyptiens ou américains, ils s'asseyaient, m'achetaient ces journaux, en admiraient les dessins : je leur résumais parfois brièvement l'histoire, car ils ne pouvaient guère lire les textes dans les bulles. À partir des images, ils imaginaient, à loisir, tout un roman. C'étaient mes fidèles clients, j'étalais, sur la chaussée, mes bandes dessinées devant le seul cinéma du quartier. En ayant, chaque soir, dix à vingt habitués, cela me faisait assez d'argent de poche : le désir me prenait d'aller alors dans les maisons « pas honnêtes ». Mon cœur battait en pensant à celle qui allait m'initier, une femme... gentille. Gentille... mais comment ? Je n'osais pas encore : j'y rêvais chaque soir...

Ne fréquentant plus l'école – protégeant, c'est-à-dire surveillant dehors mes deux sœurs qui, elles, y allaient –, c'était sûr, je n'étais plus un enfant : presque un homme, me disais-je, car je suppose, dans mon ignorance d'alors ou ma naïveté, que je n'avais même pas conscience qu'il existait tout de même un âge intermédiaire : l'« adolescence ».

J'écris maintenant ce mot, si beau en français : « adolescent » ! En arabe, dans mon quartier, on aurait dit *seghir*, le « jeune », comme on dirait le « jeune premier », au cinéma. Cela désignait l'acteur des comédies d'amour sucré et chantant du répertoire égyptien... Non, pas un modèle pour moi ! Mon père torturé et arrêté, mon grand frère emprisonné, je ne pouvais me sentir un *tfel*, ou un *seghir* de ces romances : chez nous, chacun rêvait, quand il ne se sentait plus un enfant, de devenir un « dur », comme ceux qui avaient tenu tête aux parachutistes français et qui avaient été, presque tous, tués ! Comme Ali-la-Pointe !

2.

Alaoua, mon frère, vient d'être libéré de prison. Lui, à son tour, ne travaille pas, mais depuis qu'il est libre, il semble occupé ailleurs. Moi, depuis un an, je suis apprenti permanent à l'imprimerie Guiauchin. Ma petite paye a soulagé ma mère : le soir, je garde, pour moi, le produit de mes ventes de bandes dessinées...

Alaoua tient de longs conciliabules avec ma mère : quelquefois, il disparaît quelques jours, mais elle ne s'inquiète plus. Je suis plutôt content qu'il n'ait pas repris sa tutelle sur moi : il me laisse veiller sur mes sœurs dehors. Je suis un gardien sourcilleux et, chaque soir, avant de dormir, je rêve aux femmes des maisons « pas honnêtes ».

11 décembre 60 : ce jour-là, nous déjeunons dans la petite cuisine familiale. Alaoua, mon frère, est présent ; de son ton autoritaire, il demande :

– Il est midi ! Il y a une nervosité chez les gens, ces jours-ci : écoutons les informations, à la radio !

Justement, la speakerine est en train de terminer son commentaire, en langue française : « Des manifestations se déroulent dans le quartier de Belcourt, depuis ce matin... Les forces de sécurité ont encerclé le quartier. »

Nous écoutons dans un silence fiévreux. Elle termine par une phrase qui fait dresser d'un bond mon frère : « Du moment que la Casbah est calme, on peut considérer que l'ordre va aisément être rétabli. »

Mon frère, aux mots de « la Casbah est calme », comme s'il venait d'être défié personnellement, s'emporte :

– Et alors, la Casbah, la Casbah... Est-ce que nous ne sommes pas des hommes, nous ?

Nous nous tournons vers lui : il a raison. Il ajoute, donnant des ordres aux femmes, à notre mère, à nos sœurs :

– Le grand drapeau que vous avez cousu, repassé, rangé et caché dans un tiroir, allez le chercher... C'est son jour !

Je me lève à mon tour. À côté d'Alaoua, j'attends moi aussi ce drapeau. Il y en a un dans chaque maison de la Casbah et, depuis la fin de la bataille d'Alger, fin 57, où nos héros ont été tués ou emprisonnés, ce morceau de simple tissu attend en silence son heure, lui, notre symbole, notre espoir !

Alaoua et moi, nous montons sur la terrasse. Mon frère s'empare d'un des bâtons qui servent à tendre les fils sur lesquels sèche le linge de la maison. Il en fait assez vite une hampe : le drapeau, largement déplié, est amené par mes sœurs.

Alaoua et moi, nous le déployons très largement, toute prudence oubliée. D'autres drapeaux, sur quelques terrasses voisines, font leur apparition. Apparemment, la phrase de la speakerine : « du moment que la Casbah est calme » a provoqué une réaction unanime. Plus tard, Alaoua dira : « En écoutant la radio, ce jour-là, je me suis senti insulté ! »

Tandis que, de chaque terrasse de Casbah-la-haute, les youyous vrillent et fusent vers le ciel et la mer, des jeunes gens de tous âges sortent, envahissent les rues, des drapeaux dans les mains.

Les femmes, d'en haut, les regardent dévaler les ruelles, s'éparpiller dans les artères plus larges vers le bas, envahir les premières avenues. Leurs youyous suraigus suivent les manifestants, deviennent une cascade ininterrompue, flux spasmodique d'une joie soudaine : excitation continue, audacieuse...

Je me retrouve, moi, dans le flot le plus dense de la foule qui débouche dans la large rue Marengo, là où commence, de l'autre côté, le peuple des pieds-noirs. Tout, à notre approche, a été fermé hâtivement : petits commerces, cafés, maisons... Ils nous regardent, eux, mais de leurs fenêtres, de leurs balcons, derrière leurs persiennes. Qu'à cela ne tienne !

Au cœur du défoulement en clameurs, en slogans (et toujours, en arrière, le tressautement suraigu des chœurs féminins, roucoulement interminable), je me vois, un pieu fort et long ou peut-être un pied de chaise à la main. J'entreprends de casser des vitres – vitres de boutiques fermées, comme si elles ne l'étaient que pour le temps de la sieste.

Autour de moi, d'autres casseurs. Joyeux comme moi ; s'exaltant comme moi : « Algérie ! El Djezaïr... » On improvise des formules, on les varie, on les scande, on les chante, en français et en arabe, pour nous et pour ceux de l'autre côté de la rue. On se sent regardés par eux, attendus par eux, par leurs yeux cachés derrière leurs volets baissés ! Non loin de moi, d'autres gaillards détruisent avec plus de méthode et de froide résolution : cafés français où l'on ne nous a jamais servis, bars où l'on ne demandera jamais ni du vin ni de la bière.

Ils sont cachés, ils tremblent, c'est notre heure ! Ah, la speakerine, à la radio, a osé dire : « Du moment que la Casbah est calme. » Et moi, je conclus : « Ce n'était nullement le calme, madame, ce n'était que l'attente ! »

J'ai perdu de vue mon frère, lui qui, avant moi, s'était exclamé, en réponse à la speakerine : « Eh quoi, nous ne sommes pas des hommes ? » Nous le sommes : des hommes, des enfants et des hommes. Voici des années que nous attendons notre heure : « Réveille-toi, ô peuple de la Casbah, depuis 58, ils t'ont souillé par la présence des harkis, des bleus, des collaborateurs ! Ali-la-Pointe serait-il mort en vain ? »

Aujourd'hui, cafés saccagés, vitrines de boutiques en miettes. Garçons et adolescents sortent à présent : joyeux, débridés, enfiévrés ; je ne sais combien nous sommes : une forêt qui s'épaissit, qui s'obscurcit et les cris en huées, en haros, en échos de fureur s'amplifient ! Je ne me sens qu'un parmi la foule qui avance, cassant, détruisant, pulvérisant, saisie de silences soudains, puis une houle tumultueuse la propulse en avant.

Survient une accalmie. Nous arrivons au niveau de la boulangerie de l'Espagnol : boutique ouverte, pains posés en bon ordre, comme en un jour normal. Le couple et leur employé arabe, immobiles : ni souriants, ni crispés. Prêts à donner leur pain, à le vendre ou à le donner.

Sans aucun mot d'ordre, la foule, calmée, défile devant la seule boutique en paix ; nos gens se taisent, contournent en silence la boulangerie espagnole, continuent leur chemin : vers d'autres vitrines à casser.

Je suis le premier à pénétrer dans la boutique d'un droguiste. Sur une étagère, de petites hachettes toutes neuves, prêtes à être vendues : l'aubaine ! Moi, en avant, les autres derrière moi, c'est à qui prendra sa hachette, et en avant, la destruction systématique et joyeuse de tout le local, vaste, approfondi par l'ombre rafraîchissante et, naturellement, désert.

Je deviens un véritable Vandale : allégresse rythmée, scandée... Quelqu'un, là-bas, ouvre le tiroir-caisse, un autre lance en l'air des pièces, en nickel ou en argent, éparpille des billets en écharpes ; les pièces brillent dans la pénombre, tombent lentement en pluie lumineuse. Un troisième s'exclame, comme dans un jeu : « Nous ne sommes pas des voleurs ! » Il a crié en arabe.

« Il semble tout joyeux, comme moi ! » ai-je pensé, tout à cette joie pure, enivrante de la destruction gratuite (et sans fracas).

Dans cette fraîcheur de la droguerie, je me sens soudain comme un meneur d'une armée de garçons se défoulant, après des années grises... Je me rappelle aussi un inattendu silence : les youyous de nos femmes de la Casbah ne nous atteignent plus : dans le froid ombreux de ce lieu désert, nous sommes en territoire ennemi. Nous ressemblons ainsi à nos ancêtres, les corsaires redoutables d'Alger, pillant, ravageant tout, quand ils débarquaient autrefois sur la rive des peuples du Nord...

Dans cet élan, mué en un flux de force brute,

je me retrouve face à deux énormes fûts : irresponsable, je deviens, la hachette à la main, secoué par une volonté sans but, gonflé d'une gaieté qui va tourner à vide. Je décide de m'attaquer à ces fûts : qu'est-ce qu'ils contiennent ? Nous allons voir : avec deux autres gars, que j'encourage à attaquer de front ces tonneaux, pour les exciter, je m'exclame :

– Ce qu'il y a de sûr, ce ne sera pas du vin qui en sortira !

Nous frappons, nous tapons, c'est une fête enfantine ! Soudain, jaillit d'un des tonneaux un liquide effervescent, qui bouillonne, qui surtout nous aveugle, rend l'air vite irrespirable...

Ma curiosité éteinte, les yeux rougis, je recule. La foule, hésitante parmi ces vapeurs presque asphyxiantes, fait mouvement vers le dehors. Le dernier à sortir, je rejoins à l'air libre les autres qui vocifèrent, qui se remettent à scander des slogans nationalistes. Dans la rue, nous continuons notre descente, vers le bas de la rue Marengo.

« Allons sur la place du Cheval ! » hurle une voix aiguë, sur le devant.

Je ne comprends pas soudain dans quelle bousculade je me retrouve. Étrangement, quelques-uns, après avoir cassé la porte d'un immeuble, s'enfoncent dans une sorte de couloir... Je suis ce groupe, mais je me sens incertain. Des gens, devant moi, s'arrêtent. Je les devance, poussé par la curiosité. Il est vrai, je respire mieux : je me sens délivré des vapeurs de la droguerie et mes yeux ne sont plus rouges.

Un silence ; je fends la foule. Je m'aperçois alors que ce long couloir est celui d'un appartement de rez-de-chaussée. Au bout, quatre ou cinq personnes immobiles, le visage effrayé, nous regardent.

– Ne nous tuez pas ! Ne nous tuez pas ! crie une voix de femme.

Moi, j'ai gardé la hachette à la main : c'est comme un rêve pour moi. Je me sens gêné de me trouver « chez les gens ». Mais, dans la seconde qui suit, parmi les quatre ou cinq personnes, je reconnais... Je reconnais, je crie :

– C'est Popaul ! Un copain de ma classe ! Ne le touchez pas !

Ma hache à la main, je me poste dans l'espace intermédiaire entre ceux, effrayés, auxquels je tourne le dos et mon groupe. Fermement, je répète :

– Un copain ! On ne le touche pas !

Puis, mon arme à la main, je fais sortir les autres.

Dehors, des milliers de manifestants surgissent de partout : une fourmilière, sortant de tous les recoins de notre Casbah.

– À la place du Cheval ! crie-t-on.

Je vais suivre le flot. Mais, d'une ruelle, sur la gauche, comme un torrent plus ordonné, des hommes s'avancent, rangés. Ils contemplent notre désordre, nos débordements. Au premier rang de « cette petite armée » (ai-je pensé, à cause de leur calme et de leur allure décidée, mais lente), je reconnais mon frère, Alaoua.

Il s'approche de moi ; en silence, il considère ma hachette que je garde à la main. Son regard sec, presque de juge. Je me détourne : de son bras, il me fait faire un tour et, retrouvant son sempiternel ton d'autorité, tout en me prenant mon arme :

– Tu as vu comment tu es ? murmure-t-il.

– Quoi... ?

– Petit con, ajoute très bas Alaoua, regarde

toute cette peinture rouge que tu t'es collée sur le dos !...

Je me découvre tout peinturluré, vermillonné, dirais-je. « À la droguerie, sans doute, ou je ne sais comment ! » me dis-je. Et Alaoua, avant de partir avec son groupe, de me donner le conseil, rapidement :

– Va d'abord te laver, te changer ! Tu as le temps de nous rejoindre à la grande place !

Il disparaît. Il a raison, pour une fois – mais j'enrage de sentir que le conseil d'Alaoua est juste : la maison est à quelques minutes d'ici ; d'un saut, y aller, me laver, me changer et revenir au plus vite...

Chez nous, à la rue Bleue, j'entre en coup de vent et fais tout en une demi-heure : me douchant dans la buanderie de la terrasse – tout ce rouge gluant à faire ruisseler hors de moi –, ma petite sœur allant et venant pour m'apporter le linge de rechange, moi, me repeignant les cheveux mouillés, avec soin (comme si, me mirant dans un coin de glace, j'allais me précipiter à un mariage des voisins). Je ressors de chez nous parmi les *youyous*, y compris ceux de ma grand-mère aveugle que j'entends, derrière moi, demander avec inquiétude, pourquoi ce rouge dont on lui parle...

« De la peinture, vraiment ? Pas du sang ? Vous ne me cachez rien ? »

Je ris, les mots de son inquiétude, dans mon oreille, alors que j'ai hâte de rejoindre tous les autres. Or, il y a eu comme une prémonition, de la part de l'aïeule : c'est précisément cette peinture rouge qui me préserva.

Sur la place, les soldats, les policiers, les forces de l'amirauté, stationnant tout près, tous, ils attendaient et, sur cette place qu'ils appelaient, eux, « place du Gouvernement », une fois emplie par la foule libérée, débridée, joyeuse puis vite affolée, alors, la fusillade a commencé.

A continué quelques dizaines de minutes.

Cris. Reflux. Corps tombés. Blessés et agonisants et ceux qui fuient, qui reculent, qui crient. Qui chantent encore, sur un autre ton : « Algérie algérienne ! »

Le désordre ensuite. La répression, à nouveau. Les flux d'insurgés s'égaillant, se reformant, quelquefois tout sanguinolents, s'écoulant dans les ruelles, les venelles, les valides emportant ou aidant les blessés. Éviter les policiers qui bientôt vont remonter jusque-là... Mais ceux-ci n'oseront pas venir vraiment dans nos antres, ni eux, ni leurs chiens, ni leurs bleus.

Quelques heures après, peu avant la fin du jour, des femmes toutes courbées, la tête emmitouflée de laine blanche, iront, en tâtonnant, sur les dalles de l'immense place, encore quadrillée, oui, viendront reconnaître qui un fils, qui un mari, parmi les cadavres.

Moi, grâce à cette peinture rouge que, sur l'ordre de mon frère, j'étais allé laver au plus vite, avant de me changer, presque me faire beau, je n'ai même pas été touché par le sang des autres ; même pas une tache à sécher dans mes paumes ! Moi, quinze ans bientôt, le feu de la révolte désordonnée dans mes veines, bouillonnant mais toujours en vain, j'ai vu pour la première fois de ma vie et la déroute, et les fuyards.

Des dialogues ineffaçables et frissonnants, comme dans une poursuite d'anonymes, s'égaillent près de moi et sans but :

– Mais ce n'est pas fini, frère !

– Ramassons nos morts ! La nuit, pour célébrer nos morts !

– Nous reprendrons demain, à l'aube, frère !

– La Casbah répondra présent, à demain !

Oui, j'écoute, je regarde, je comprends à peine, et presque péniblement, que je ne suis ni parmi les tués, ni dans les blessés ; ni parmi les fuyards, non plus. Je rentre lentement, en silence : tout ce tumulte, ce délire, ce défoulement, serait-ce un rêve ? À la maison, ma mère, inquiète sur le seuil, ne pleure pas.

Elle rassure ma grand-mère :

– Alaoua est vivant, il devra se cacher ! Berkane vient de rentrer, que le Prophète soit loué !

Les femmes, dans la maison, se taisent. Sur la terrasse, tout le long de la nuit, elles se montrent les maisons proches où, à cause des bougies que l'on distingue, nous savons que l'on prie, là-bas, pour des morts ou des agonisants.

Le lendemain, circuleront les premiers chiffres : cinquante à soixante-dix morts au moins, sur la seule place du Cheval, des centaines pour toute la ville, un millier de victimes, tombées dans les autres villes du pays.

À la Casbah, l'insurrection dura huit jours :

de moins en moins violente certes, recommençant dès l'aube, excitée par les chants de femmes fusant, sur les terrasses blanches – comme un hymne d'abord vers la mer à nos pieds – et, dans les ruelles en coudes, en escaliers, par groupes épars, les garçons, de plus en plus jeunes, scandent : « Algérie algérienne ! » Mots soudain de hantise inlassable, de fureur obsessionnelle.

Toutes les écoles sont fermées ; les gamins apprennent la rue, la rue effervescente de la Casbah vive. Tout le long de la rue Marengo, les Européens gardent leurs commerces fermés. Et, à El Kettar, autour des tombes ouvertes, des vieilles femmes voilées se courbent pour psalmodier, pour prier longuement avant de revenir, en silence, dans le dédale de nos rues étroites.

Au bout de huit jours, il a fallu se remettre au travail, à la fausse paix ! Tous, parmi le petit peuple, à la Casbah, sont des travailleurs payés à la journée. Qui peut, dès lors, se permettre de tenir plus de huit jours sans devoir aller travailler, même le cœur lourd ?

3.

J'avais alors treize ans, ou treize ans et demi, je pense. Rassemblant mon courage, palpitant d'audace et ma paume pleine des piécettes d'une journée (quelques mois déjà que je faisais mes petits bénéfices avec mes bandes dessinées), je calcule soudain qu'au lieu d'aller trois ou quatre fois payer ma place au cinéma Nedjma, j'avais peut-être le compte pour entrer enfin en client dans une des « maisons pas honnêtes » que j'avais repérées...

Dans deux ou trois de ces maisons, je voyais bien que les « dames de petite vertu » vivaient simplement, presque comme nos femmes de la famille : même demeure ancienne, même patio modeste. Quand elles sortaient, ces dames, pour faire leurs emplettes, elles se voilaient du voile de soie ou de laine des Algéroises, sauf qu'on les reconnaissait à leur manière de découvrir parfois leur jambe, ou de laisser amplement ouvert sur leur gorge leur voile qui glissait ; et puis, elles se fardaient le visage, comme des Européennes, de manière voyante ; enfin, elles portaient des bijoux en or à leur cou ou dans leurs cheveux, matin et soir. Bref, même nous, enfants, nous savions qu'elles ressemblaient à nos voisines, à nos parentes, mais pas vraiment : nous les reconnaissions toujours, ces dames !

Elles travaillaient, je l'ai su bien plus tard, presque à leur propre compte – et non en maisons closes. Je dirais artisanalement, du fait qu'elles n'avaient en général qu'un protecteur qui les laissait vivre à leur rythme à elles, sans doute, disait-on, parce qu'il était à la fois leur souteneur et leur amant.

Et, sans doute, fut-ce bien avant ma fureur de décembre 60 que, presque encore enfant, mais gagnant depuis quelque temps mon premier argent, soudain, je me précipitai – un matin ensoleillé – dans une des maisons « pas honnêtes », pas très loin, qui plus est, de notre rue Bleue. J'avais fait le pari (pour me donner du courage moi-même) auprès de deux garçons de mon âge, effrayés, eux, de mon audace :

– Oui, avais-je décidé devant eux, j'y vais !

– Tu y vas, mais tu racontes, après, c'est promis ?

– Je raconte ! rétorquai-je, toujours pour m'aiguillonner moi-même.

J'ai filé aussitôt d'un trait jusqu'à la petite

maison que j'avais repérée, une semaine auparavant. La porte entrebâillée, je l'ai poussée d'un coup, comme un grand. Je suis entré en trombe. Mon souvenir est très net de cette dame, debout dans son patio de la Casbah, encore à demi penchée au-dessus d'un baquet devant une fontaine et qui se retourne, surprise par mon entrée, mais souriante :

– Qu'est-ce que tu veux ? demande-t-elle, tout tranquillement.

Et moi, sans me troubler, me voici mon bras tendu vers elle, ma paume pleine de toutes les piécettes qui représentaient mon trésor !

Je ne sais plus ce que je murmure, mais je refais mon geste. Et le sourire de la dame change de nature : elle semble, cette fois, tout à fait amusée.

Je ne me démonte pas : je reste devant elle, le bras tendu. Elle va bien finir par comprendre. Malgré l'heure, sans doute un peu matinale, elle va, tout de même, daigner me considérer comme un client !

– Tu as quel âge ? commence-t-elle par demander, le sourire ne quitte pas ses lèvres, mais je ne vois plus rien : j'ai soudain si peur qu'elle me renvoie dans la rue !

– J'ai quinze ans ! je réponds fièrement.

Mais elle, soudain taquine, en tout cas amusée :

– Tu n'aurais pas plutôt onze ans, non !

Je tends désespérément mes piécettes.

– Je sais, je sais, dit-elle, tu as sans doute le compte !

Elle avait encore ses mains dans l'eau : car elle terminait prosaïquement sa lessive. Je me rappelle le carrelage de son patio : couleur rouge brique, avec quelques carreaux un peu fêlés, et un second robinet, dans un coin.

Elle se sécha alors les mains d'un geste qui me resta inoubliable : elle tourna et retourna ses mains en l'air, en une sorte de figure de danse, dans la lumière du soleil. Des gouttes d'eau tombaient, brillaient, en gerbes, soudain, entre nous et elle se mit à rire, la dame, maternelle presque.

– Eh bien, dit-elle, à demi désinvolte, mais douce, si tu as le compte et si tu as bien quinze ans, on va y aller, mon petit, on y va !

Je l'ai suivie dans une pièce pleine d'ombre : pleine d'ombre et de fraîcheur, moi, les yeux aveuglés encore par le soleil du dehors. Elle ajouta, le dos à demi tourné et sur un ton de nonchalance :

– Dépose sur la commode ce que tu as apporté !

Elle ne vérifia pas, la dame. Je suis sûr qu'elle s'en moquait, soudain. Elle se savait initiatrice, d'un gars de treize ans ou de quinze, quelle importance. Elle me déniaisa, ce matin ensoleillé, dans sa petite maison « pas honnête ».

Elle m'initia, oui, trop rapidement, mais, me semble-t-il, avec bonté.

Je l'ai quittée au plus vite : les deux copains m'attendaient, à la placette du marché. Je n'ai rien eu envie de leur dire ; rien ! C'était, je suppose, à la fois trop banal, trop simple, et comme mêlé, emmêlé, oui !

Maintenant, il me semble (peut-être à cause de cette simple femme qui a égoutté ses doigts au soleil, dans la courette, avant de me faire rentrer dans sa chambre) qu'un peu d'innocence m'est resté dans ces relations charnelles. Peut-être, à ma manière, par fidélité à cette initiatrice de la Casbah, moi en culottes courtes et à cause de son sourire à elle, oui, je dirais, son sourire de bonté.

4.

Je vais, je viens dans ce récit de mes années de passage ; de passage vers quoi, de mutation vers où ? Que suis-je jusqu'alors vraiment ? À mes treize ans, treize ans et demi, lorsque, chargé de famille grâce à mon travail comme apprenti typographe, j'ai assez d'audace pour entrer chez cette « dame » dont je n'ai même pas su le prénom, qui m'initia avec précaution, si bien que je sortis de chez elle, silencieux – avec, je crois, un arrière-fond de tristesse en moi, mais aussi un secret.

Le temps passe ; les manifestations de décembre 60 éclatent, et cette autre initiation à la violence collective, je l'ai vécue comme une ivresse sombre, pas comme l'autre, la secrète : regard, et mains, et peau de femme tout près, si près, alors que dans l'emportement de la foule et de sa fureur, que vous reste-t-il, le rideau tombé, sinon des faces déchirées par le vent et des masques...

Que me laissent ces premières expériences ? Je n'étais plus un enfant, et pas vraiment un adolescent. Une ombre tâtonnante encore, tantôt dans le groupe dont je me sentais solidaire, tantôt tout seul, approchant les flancs d'une femme inconnue et en gardant tout un remuement dans mon corps malhabile.

Oui, que me reste-t-il de ces premiers pas, accomplis presque en aveugle ? Tout explose soudain, la digue s'ouvre : on vous emporte ou vous vous envolez vous-même ! Or, si l'adolescent expérimente plutôt le déséquilibre que le passage, cette rupture s'effectua, pour moi, vraiment en quelques mois : à partir de décembre 61.

Cette fois, les manifestations nationalistes ne sont pas spontanées. Deux ou trois semaines auparavant, le F.L.N., qui avait repris vigueur et la voix de Radio-Le Caire ou Sou't el Arab (la Voix des Arabes), entendue chaque soir dans chaque demeure, nous poussent à marquer le 1er anniversaire des morts de décembre 60.

À la Casbah, plus qu'ailleurs, nous nous préparons. Moi, je m'imaginais déjà, des jours et des jours auparavant, en héros, en meneur ou, plus modestement, en manifestant de première ligne, mais tombant, les mains et la poitrine nues, devant les soldats (comme si je voulais savourer, post mortem, à partir du paradis musulman des martyrs, ma propre gloire !).

Bref, ce défoulement proche, je l'attends avec une effervescence toute romantique : une façon de surmonter le train-train du travail à l'imprimerie (j'ai abandonné l'occupation, qui m'a paru soudain puérile, de vendre aux illettrés du quartier mes bandes dessinées !).

Le 11 décembre, à nouveau, sera-t-il donc un grand jour pour moi ? Mais ce fut le contraire, même s'il fut marqué par mon arrestation qui se déroula sans l'aura prévue. Je fus arrêté, je dirais bêtement, à cause de ma hâte, et je le découvre, même si tard, de ma stupidité : peut-être même de ma vanité de petit mâle, trop vite monté en graine ! Il me semble d'ailleurs qu'alors je ne voyais plus guère mon frère Alaoua qui évitait le plus possible la demeure familiale, réintégré qu'il devait être dans des réseaux, en cette année 61, réorganisés.

Moi donc, livré à moi-même, j'applique à la lettre les mots d'ordre de la radio Sou't el Arab : « Commémorez les morts du 11 décembre 60 ! » Je me vois sortir de la maison avec un drapeau plié sous ma veste, par ultime précaution : « Sois le premier, me dis-je, à appeler les autres, mais loin de la maison : que les soldats n'entrent pas chez toi et que les femmes, au moins, soient préservées ! »

D'ailleurs, cette fois, aucune des mères et des jeunes filles de chez nous ne s'est, pour l'instant, manifestée par la chorale frémissante de ses youyous : le silence règne encore sur les terrasses.

– J'ai dû être l'un des premiers dans la rue Staouéli, ce matin-là : je sors donc mon drapeau et je me mets à haranguer les tables de consommateurs :

– Allons, debout, vous autres ! N'oublions pas les martyrs de décembre dernier !

Et je prolonge mes appels par des slogans pour l'indépendance. Cinq minutes ainsi, dix minutes : aucun écho, face à moi. Les clients assis, plutôt figés, me regardent. À peine vais-je les narguer que, tournant à demi la tête, je comprends : juste à quelques mètres derrière moi, une patrouille de soldats français m'attend pour me mettre la main au collet !

Je lâche le drapeau – peu glorieusement – dans le caniveau et me voilà à amorcer ma fuite en avant. Je connais le dédale de nos rues : un premier tournant, un second, je repère la maison ancienne, presque de voisins et qui offre, je le sais, double façade. J'y entre en courant : dans le patio, des femmes autour de la table basse. L'une me salue joyeusement : « Tiens, Berkane ! »

Moi, j'ai remarqué les escaliers qui mènent à la terrasse. Je les prends, je cours. Les soldats sont entrés dans un grand fracas : mais le temps qu'ils me cherchent dans les chambres, je connais les lieux.

Je suis déjà là-haut, sous le vaste ciel : libre presque. D'un angle de la terrasse, je m'apprête à sauter pour me retrouver sur une autre terrasse, vers l'autre rue. Hélas, un énorme berger allemand – qui, lui, a filé le premier sur mes traces dans l'escalier – bondit aussi vite que moi, me plante ses crocs dans mon poignet droit, ne me lâche plus, me fait virevolter : dans ce demi-tour, l'un des soldats, haletant, n'a qu'à me mettre les menottes, tout en faisant lâcher prise au chien.

– Allons, mon p'tit gars, ironise le Français, presque bon enfant. Regarde la largeur de la rue : on vient de te sauver la vie !

Et c'était vrai !... Même si j'avais pu sauter, il leur aurait suffi de me tirer dessus, d'une terrasse à l'autre.

– On l'embarque ! crie un second soldat

à ceux qui, dans le patio, tiennent en joue les femmes – lesquelles, je le sais, préviendront aussitôt ma mère.

– Ton fils, lui diront-elles, en effet, peu après, les paras l'ont emmené non loin, chez les harkis de la rue du Mont Thabor !

Car les harkis, depuis la fin de « la bataille d'Alger », s'étaient installés là, dans un local vite connu comme un centre de torture assez terrible. C'étaient, pour la plupart, des engagés venant de campagnes lointaines : ce fut comme s'ils réglaient de vieux comptes – pour l'essentiel, venger des blessures d'amour-propre qu'ils pensaient avoir subies de la part des citadins de la Casbah.

Je me souviens, pour ma part, de la voix d'un de leurs chefs, tandis qu'on me traînait à coups de poing et de pied jusqu'à des caves pleines déjà de prévenus ; oui, me reste surtout l'accent guttural d'un des leurs qui me répétait, en arabe bien sûr :

– Alors, fils de pute, c'est toi, toi qui veux faire sortir du pays la France !

Son indignation semblait encore plus sincère que son mépris pour mon jeune âge. Et j'ai encore dans l'oreille son ton sérieux, qui me parut d'un respect grandiloquent, tandis qu'il prononçait le dernier mot : *« França !... França ! »*, et je recevais, dans le noir, double ration de coups à cause de ce mot scandé et dit comme par un serviteur admiratif : « França ! »

Je me suis accroupi dans l'obscurité, parmi les autres détenus.

L'attente, toujours dans le noir : un jour, une nuit. Quelques bribes échangées avec mes compagnons : ils ne savaient rien. L'odeur de la merde, de la pisse... J'ai dû finir par m'endormir, vexé surtout que la « fête », m'imaginais-je, se déroule dehors, sans moi !

Au petit matin, des paras vinrent me chercher : je remonte, encadré par eux.

« On l'emmène, celui-là ! » Je les suis à pied, sous bonne garde, par des rues en escaliers qui montent. Nous nous dirigeons vers la caserne d'Orléans, derrière la grande prison.

« Le quartier semble calme ! me dis-je, souffrant de ne rien savoir de la manière dont s'est passée la commémoration. » Dix minutes de marche encore : des yeux luisants d'enfants, des voisins sur leur seuil, puis qui s'éclipsent. Je suis confiant : ma mère entendra bientôt une voix d'inconnu, à sa porte, chuchotant : « Ton fils est encore vivant ! »

À la caserne d'Orléans, je suis conduit dans des caves, plus peuplées encore. Une foule de détenus : impossible de distinguer quiconque. Et, de nouveau, l'odeur des excréments ; mais il y a des bidons devant les portes. L'emprisonnement, ici, une sorte de passivité immobile des corps ; et presque pas de soupirs. À peine des murmures ou quelques râles. La nuit semble un couloir interminable. Surtout, commence la musique ; mais aussi des cris, très hauts, très loin...

– Musique classique, soupire quelqu'un, près de moi, que je ne distingue pas.

– Pour ne pas entendre les cris des torturés, m'explique une voix, tout près, épuisée.

– On les entendra quand même ! souffle une troisième.

Royaume d'ombres. Pourquoi revivre cette durée boueuse, ce tunnel des heures, cette puanteur, cette grotte immense où tout est nuit, où les détenus sont emmenés titubants, sont ramenés loques silencieuses et râlant ? De nouveau, la musique, par nappes, nous submerge.

– Musique classique, répète la même voix d'inconnu proche : une voix cassée.

– Musique française, rectifie un autre ; puis celui-ci m'a pris la main dans le noir, m'a fait palper sa bouche : pas de dents devant et du sang séché...

Royaume d'ombres : deux jours, trois jours ; enfin, c'est mon tour ! On a épelé, toujours dans le noir, mon nom. Je suis soulagé : l'attente devenait paroxysme.

Trois ou quatre interrogatoires, mais je ne saurais dire combien d'heures se sont écoulées à chaque fois. Nier, tout nier. « Le drapeau ? » Je venais de le ramasser par terre : il était jeté. « Je m'apprêtais à l'abandonner dans les ordures ! » J'ai couru ? « Non, je ne fuyais pas ; j'avais seulement peur du chien ! » J'ai voulu sauter ? « Oui, bien sûr ! L'énorme chien toujours ! Je me suis affolé... » Mon père arrêté ? « Mais je ne sais pas pourquoi, sûrement une erreur ! » Mon frère ? « Mais on ne le voit pas ! Libéré, vous voyez, on l'a libéré ! La preuve que c'était une erreur ! »

Malgré les coups, et en attendant la torture, contre toute logique, jouer l'idiot, puisque je me suis comporté, ce jour-là, en idiot ! S'entêter. Ne pas en démordre ! Je ne sais rien. Je ne suis qu'un petit apprenti typographe. Sérieux ; je suis sérieux : ma mère et mes sœurs ont besoin de mon travail ! Cela a dû durer deux ou trois heures. Sous les coups, je ne sens plus mon visage, tuméfié ; mes côtes, mon crâne, douloureux, mais je peux encaisser encore : j'ai été élevé à la dure, merci, cher frère Alaoua !

C'est la guerre : ils font leur boulot, ces mercenaires. Moi, je subis. Surtout, ne pas réfléchir.

Tout ce temps, je sais bien que je vis un simple préambule : la suite, ça va arriver : la trouille, bien sûr, l'électricité, la planche pour mon corps nu, l'eau pour gonfler mon ventre, et bientôt commencera la musique « classique », a dit un compagnon, crier, ne pas s'entendre crier, ça va commencer : la partie de plaisir. Leur plaisir !

C'est une autre initiation, celle-là : le corps-pierre, le corps-muraille, le corps-douve et tourbe, le corps en bloc et qui résiste, le corps sourd et gourd et pas en morceaux, il résiste et eux s'acharnent... Ne pas penser. Ils font leur boulot ! et toi, le tien : tenir ! C'est tout. Un moment à passer...

Peut-être ne pas en ressortir, peut-être ne pas revenir de ces ténèbres, la femme dans sa chambre d'ombres, comme elle était douce... La Casbah ! *El Djezaïr*... Mon père, on lui a arraché dent après dent : il n'a pas parlé. Mon père, on a torturé son fils Alaoua devant lui : il n'a pas parlé ! Moi, je n'ai rien à dire. Ils commencent l'initiation : à la douleur, à l'écorchement, à l'étouffement...

De ces trois ou quatre interrogatoires, que dire sauf qu'il est facile de répéter le même discours invraisemblable, peu crédible, mais le répéter, ensuite, à force, on n'a plus de voix, la voix juste pour crier, pour hurler, puis il y a un seuil où, même son cri, on ne l'entend pas. On le voit : dans la face de ceux qui travaillent (car être tortionnaire, c'est un long, épuisant, infatigable travail) : on voit son cri, le bruit de sa douleur, la musique univoque, monotone de son feulement, et tout cela dans les yeux et le rictus de ceux qui travaillent sur votre peau, parfois dans votre pus et votre vomi !

Trois donc, ou quatre interrogatoires : de ces durées, sans durée, qui s'étirent ou s'immobilisent, peut-être à cause de cette musique, très forte, sans doute du Beethoven ou du Wagner, je me dis maintenant, mais à l'époque, inculte, je n'aurais reconnu que le luth de ma mère, et un peu la guitare. De toute cette agitation sonore, un seul détail m'est resté, a resurgi de temps en temps, ces trente dernières années où, pourtant, je n'ai pas écrit : et surtout pas, écrire la torture, ça sert d'ailleurs à quoi écrire la torture à partir du torturé ? Peut-être à partir du tortionnaire, le pauvre qui se fatigue, qui transpire, qui doit inventer... Mais à partir du torturé ? Mes compatriotes, juste après la guerre, ont beaucoup détaillé les sévices subis, ont protesté, je sais, ont voulu sans doute réveiller les consciences...

Comme si cela avait une utilité ? Comme si la torture n'était pas de bonne guerre : on le sait chez nous, à la Casbah ! ça s'est toujours passé ainsi, depuis les frères Barberousse et les autres corsaires. Un témoin est là, un grand, un Espagnol qui a écrit le premier sur mon quartier : Cervantes !

Pour nous, à la Casbah, la torture, cela ne pose qu'un problème : il y a ceux qui tiennent et il y a ceux qui ne tiennent pas. Deux catégories : des héros (de vrais salauds quelquefois, mais héros) et des non-héros. Non ; même pas ! On se dit parfois – sauf exception, naturellement – que c'est souvent un coup de chance. Du courage aussi ; mais pas plus !

Moi, je suis fils de Chaoui et chez les Chaoui des Aurès, plus encore que chez les autres Berbères, le « courage », c'est, en quelque sorte, une forme d'entêtement ! Ça sert à la guerre, c'est une qualité ! Mais, pour le reste de la vie ordinaire, ce n'est pas toujours drôle, l'entêtement, ça ne fait guère avancer son bonhomme !

J'écris là ce que je me suis dit en sortant de cet enfer de la caserne d'Orléans. Bien sûr, j'ai tenu face à la torture : mais soyons franc, à seize ans, je n'avais pas de secrets d'État à révéler, non ? Je ne savais rien : je voulais manifester, pas plus, et contre França, comme disait le harki.

De ce passage dans la souffrance purement physique, bizarrement, c'est un détail purement visuel qui me reste, que j'ai besoin de décrire, qui fait l'originalité de mon petit calvaire.

À la première des séances « musclées » qui m'est réservée, lorsque, devant mon discours si peu crédible, les bourreaux (faut-il donc les appeler ainsi, ceux qui n'étaient jusque-là que soldats ?) se mettent à préparer une planche très basse sur laquelle on va m'allonger ; ils manipulent des instruments en acier. Je regarde, tout endolori que je suis, après les coups et les bourrades, je ne peux m'empêcher d'avoir un regard avide de pure curiosité : me voici donc au cœur de la grotte du dragon !

On m'allonge, nu. Celui qui m'interroge reste debout, à mes côtés : il me paraît immense, soudain. Deux de ses confrères se mettent à taper, avec des barres de plomb, sur mes côtes et je tente de me protéger avec mes mains, de me retourner quelque peu, mais en vain... Si je détaille cet instant, c'est à cause du quatrième de mes bourreaux : il est debout, les mains réunies juste au-dessus de ma tête, comme s'il me préparait une offrande. Il se dresse ainsi, en statue. Mais pourquoi ? J'ai l'idée, tout à fait saugrenue, qu'il semble, avec ses paumes réunies toujours au-dessus de ma tête, s'apprêter à prier, mais pourquoi et pour qui ? Si bien que, alors que je dois faire face aux coups très rudes sur mes côtes, mon esprit reste intrigué par cet officiant. Mon interrogatoire ne dure pas longtemps. À peine les coups deviennent, sur mon torse nu, insupportables que je crie : les mains du quatrième (l'homme mystérieux) s'ouvrent pour laisser tomber, dans ma bouche hurlante, un long filet de sable fin, qui m'étouffe presque.

C'est un moment d'horreur ! Ce sable si fin s'infiltre à l'intérieur de mon corps. Je crie ; mes yeux semblent sortir de leur orbite ; les autres frappent : plus je crie et plus le sable entre partout, je le sens dans mon nez. Alors que je cherche comment respirer, les coups pleuvent de plus belle. Je ne sais comment me retourner. J'ai l'impression de cracher mes boyaux !

Tout s'arrête un instant. Le questionneur reprend : « Alors, tu parles maintenant ? Tu dis qui t'a donné les drapeaux, qui... ? »

Je reprends souffle ; je maintiens ma version. La séance reprend, avec les deux qui tapent sur mon torse comme sur un tambour, l'autre au-dessus de moi qui fait couler son sable, et ce n'est pas de l'hydromel, oh non, je suis en proie à cet étrange étouffement, insinuant et asphyxiant, au fur et à mesure que je crie sans fin, que je bois ce sable-hydromel sans nulle cesse...

Cela dura, cela dura : fut-ce celui qui semblait au début prier qui finit par se fatiguer le premier ? Peut-être. En tout cas, son rôle, en figurant muet, mais toujours distribuant son sable comme un filet d'or pour gosier d'assoiffé, me reste ancré comme un cérémonial de cruauté silencieuse et raffinée. « Supplice chinois », me dis-je, à demi inconscient, lorsque enfin il arrêta.

Au cours des décennies suivantes, ce fut cette seule image, je dirais, de « l'offrande du sable fin », qui remontait et qui flottait dans ma mémoire, comme une composition, presque irréelle, de chorégraphie. Au point qu'un jour, en silence, je me mis à dessiner le quatuor : deux hommes esclaves et à demi nus tapant sur un condamné enchaîné, à terre ; un troisième, à ses côtés, le questionne – comme au Moyen Âge –, mais surtout, en silhouette immense et mystérieuse, un homme en noir, de ses mains réunies en coupe, laisse couler ce sable fin et blond dans la bouche grande ouverte du supplicié.

J'avais dessiné hâtivement cette scène devant Marise, à l'une de ses répétitions de théâtre, tandis qu'elle se reposait un moment. Comme si cette vision de torture pouvait devenir un spectacle, disons, de jeu gratuit, avec des adultesenfants, ou donner lieu à un divertissement en un acte de musique et de danse à la fois.

– Qu'est-ce donc que ce tableau ? demanda Marise, intriguée.

– Rien, dis-je. J'imagine... un divertimento. Un seul danseur, celui qui boit le sable, pour le recracher en dansant...

– Et quel en serait le texte ? interrogea encore Marise.

– Le supplicié crie, en principe, par à-coups, mais l'on pourrait imaginer la musique : des percussions très brèves, très sèches, pour les coups. Suivrait un bruissement, celui du flux de sable coulant, je n'ai pas trouvé encore quel serait, là, l'instrument adéquat...

Mon amie me regarda, interdite, se demandant vaguement ce que je tentais de lui dire : peut-être ainsi fait-on avec les somnambules qui tâtonnent, pensa-t-elle.

– Ce n'est qu'une fiction que j'invente pour passer le temps ! prétextai-je, pour que vite, elle reprenne son travail, et que moi je reste livré à quelques-uns de mes fantômes.

Je n'allais pas raconter à Marise d'où surgissait cette scène : de quoi aurais-je eu l'air, moi, en avouant à mon amie française que le raffinement de ce supplice était non pas chinois, mais tout à fait français ? Nous nous trouvions si bien ensemble, à cette époque, Marise et moi ! Elle se serait sans doute attendrie, elle, sur les épreuves de mon âge d'adolescent et je ne suis pas sûr que j'aurais aimé cela !

5.

Le premier camp où l'on me transféra, une ou deux semaines plus tard, ne se situait pas très loin d'Alger : le camp dit « de Beni Messous » où je me retrouvai avec plus de sept cents détenus servait de centre de tri pour ceux qui, à Alger, venaient d'être interrogés et qu'on ne présentait pas à la justice.

À Beni Messous donc, l'adolescent que je deviens fait partie d'une chambrée d'au moins deux cents à deux cent cinquante personnes. L'installation, dans chacune de ces baraques, est sommaire : néanmoins, par rapport aux « logis » précédents, cela paraît le confort ! Ici, on ne dort pas par terre, mais sur une planche – l'une juste au-dessus du sol, une autre en étage – aménagée sur toute la longueur de la salle : cinquante personnes peuvent s'allonger, tête-bêche et de chaque côté. Merveilleux !

Chaque détenu a droit à une couverture : à lui de choisir, pour dormir dessus ou pour s'en couvrir. Le luxe, je me dis : il y a enfin des toilettes, dehors, près des portes, et une fontaine. Après le couvre-feu, à six heures, on ne peut plus sortir dans la cour. Des miradors sont allumés.

Certes, il me faut peu de temps pour retrouver la vie de société et me mettre au rythme : l'appel, très tôt, puis le café qu'on va chercher dans un bidon plein. Les détenus circulent dans la cour, à leur gré ; on reçoit sa pitance à midi et pareil le soir. Sauf que le drapeau tricolore qui flotte au centre de la cour est ramené au sol, à cinq heures, avec tout un protocole.

Moi, je regarde ; je découvre. Ainsi, il y a chaque jour des arrivants ; après les formalités auxquelles chaque nouveau est astreint, on l'attend pour savoir d'où il est, s'il est amoché après l'interrogatoire, s'il préfère ne pas en parler.

Quand les nouveaux venus nous rejoignent, il y a un code de gestes muets que je repère et par lequel j'ai dû passer. Deux anciens de la chambrée sont chargés d'accueillir l'arrivant : sur le seuil, ils ne lui disent rien, sauf que l'un d'eux passe ses doigts sur ses lèvres. C'est une forme d'interrogation : un « qui es-tu ? ».

Tous regardent ce qu'il va répondre : ou bien il se frotte ostensiblement le front – on traduit, tous : « je suis du F.L.N. » –, ou bien il peut au contraire se caresser le menton longuement, comme s'il avait une barbe. Tous comprennent : il est donc du M.N.A., la branche nationaliste rivale dont le chef Messali porte la barbe.

Pour ma part, j'ai frotté mon front. Très jeune, avant même la bataille d'Alger, dès les premières années de la guerre, j'ai su combien les règlements de comptes, dans notre quartier, ont été féroces. Finalement, c'est le F.L.N. qui l'avait emporté, comme dans toute la capitale.

Dans ma chambrée, un seul détenu a affiché son appartenance au M.N.A. La réaction fut simple : personne ne lui parle. Il reste donc muet, mais il paraît calme ; pas tendu, enfermé seulement en lui-même. Je l'observe souvent : il s'appelle Mourad ; je ne sais rien d'autre de lui. « Comment fait-il pour tenir ? » me dis-je.

Jusqu'au jour où, comme c'était la règle, je me retrouve à la corvée d'épluchage des pommes de terre, avec trois autres détenus, dont ce Mourad. J'approche donc de près, avec Mourad, un représentant de ce groupe nationaliste que tout mon entourage, à la Casbah, dénonçait comme des « renégats ».

Personne ne m'avait dit jusque-là que leur chef, Messali, avait été, dans les années vingt, un devancier, le fondateur historique de « notre » nationalisme politique. Nul, en outre, n'aurait su m'expliquer le pourquoi des divisions entre « chefs » petits et grands qui avaient suivi, après 45... La vérité était une et toute simple : le 1er novembre 54 avait été déclenché par le F.L.N. Tous ceux qui avaient refusé de se rallier à cette impulsion, dont ce M.N.A., étaient « des traîtres » !

Malgré moi, pourtant, je me sentais fasciné par le silence – et je dirais la dignité – de ce Mourad. « Comment, pensais-je dans ma naïveté, pouvait-on rester aussi serein, plongé des jours entiers parmi une foule de détenus comme nous ? Il semble vivre dans une prison à lui, au milieu de notre prison à nous ! » Je le guettais, à divers moments du jour : « Il semble presque heureux, tout seul ! » Et voilà que, mon couteau à la main, je me retrouve à éplucher des patates, face à lui, avec deux autres, à peine plus âgés que moi. Je travaille, je le regarde : il exécute son labeur, l'air absent mais tranquille. Soudain, j'explose ; je l'attaque de front :

– Tu es M.N.A., n'est-ce pas ?

Il me regarde, sourit, fait oui de la tête, en silence. Son flegme m'exaspère. Je l'interpelle, ma main au couteau en l'air :

– Comment peux-tu obéir à Messali, le traître ?

Il me considère avec un sourire en coin ; sur un ton calme, il daigne répondre :

– C'est toi qui le dis ! Pour Messali, l'avenir seul jugera ! (Plus exactement, en arabe : « Dévoilera la vérité ! »)

– L'avenir ! *El moustaqbal !*.., je reprends dans les deux langues.

Ne trouvant quoi dire, dans aucune des deux langues à cet argument de l'« avenir », ma rage monte.

Je me dresse ; je me tourne vers les autres. Je bondis sur Mourad qui ne résiste pas, qui se laisse faire : il est vrai, j'ai gardé le couteau à la main.

Je plaque l'homme au sol, son visage face à moi, accroupi. Les deux autres m'entourent.

Mourad, passif, ne bronche pas. Moi, un genou sur sa poitrine, je gronde :

– Tu vas dire : « Messali est un traître ! »

Je répète l'ultimatum. Je m'échauffe. Les autres le maintiennent aussi. Je lui pose la lame de mon couteau sur la gorge : ses yeux ouverts, son regard sur moi, calme, froid... Je me sens furieux, impuissant :

– Tu vas le dire : « Messali est... »

Si longtemps après, je ne trouve même pas de quoi j'ai nourri ma fureur : peut-être de ma seule fascination devant son calme. Jusqu'où tiendrait-il ? Je crois même que je m'apprêtais à le saigner quelque peu, certes juste deux ou trois gouttes de sang qui pourraient lui faire entrevoir sa mort.

Soudain, quelqu'un, par-derrière, me renverse, me frappe, mon couteau s'en va en l'air ; je suis plaqué à mon tour au sol par un détenu de l'âge de ma victime, Brahim. C'est un des leaders de la chambrée. Mourad se relève à demi. Brahim me dévisage, furieux. Il m'insulte à voix basse ; il m'envoie une seconde bourrade.

– Idiot ! Ignorant ! gronde-t-il.

Puis il se retourne et s'excuse auprès de Mourad, debout maintenant :

– Excuse-nous ! C'est la nouvelle génération : ils ne savent rien, politiquement !

Mourad s'éloigne, imperturbable. Brahim, tourné vers moi et les deux autres, commente en quelques phrases :

– Mourad, sachez-le, est un patriote ! Il est seul, de son parti, parmi nous, et alors ?

Puis, sur un ton ardent de pédagogue et en me prenant par le col :

– Pose-toi simplement cette question, môme : si tu étais à sa place, dans une prison pleine seulement de détenus M.N.A., est-ce que, tout seul et le couteau sur la gorge, tu aurais la force de tenir, toi ?

Il me lâche, me considère attristé, sa colère soudain tombée, et, presque sur un ton paternel :

– N'oublie jamais ! Mets-toi toujours à la place de l'autre ! Renverse toujours la situation, avant de juger, de décider !

Puis, d'un coup, il me tourne le dos.

C'est ainsi que je reçus ma première leçon politique : la seule, en tout cas, qui me permit de ne plus agir, comme ce jour-là, en brute précoce...

6.

De ce camp de Beni Messous, il y eut aussi « l'épisode du salut au drapeau français ». Protocole patriotique, dans un camp de détenus géré par des militaires français, deux fois par jour, une dizaine de soldats et de sous-officiers procédaient le matin à « la levée des couleurs », et le soir, à cinq heures, à « la descente des couleurs ». Je retrouve, presque spontanément, ces formules consacrées.

Le matin, à la montée du drapeau – après une longue sonnerie de trompette –, nous, les détenus, nous nous trouvons encore à l'intérieur des baraques : la file d'attente pour les toilettes, pour le seul robinet où pouvoir se laver le visage et les mains, le café du bidon, etc. Tout cela, après le déroulement de l'appel des noms – au cas où il y aurait eu une évasion, malgré les barbelés, les miradors, les chiens...

À cinq heures du soir, dès que la trompette se faisait à nouveau entendre, il nous était recommandé de ne plus bouger de notre place. Ne pas saluer le drapeau, si l'on avait le dos tourné, mais rester au moins immobiles ; pas de provocation ! Les vieux détenus le recommandaient.

Ce statu quo fonctionna, presque immuable, durant mon séjour là-bas. Sauf ce jour-là, je ne sais pourquoi ! Un gradé en chef, chez eux, nouveau ou trop zélé ? Peut-être, de récents détenus qui, par inconscience, se mettaient à courir dès qu'ils entendaient la trompette : à courir ou au contraire à s'asseoir ostensiblement sur le sol.

Toujours est-il que le commandant du camp fit annoncer, un matin, le nouveau règlement : ce jour-là, pour la descente du drapeau, tous les détenus, sans exception, auraient à se ranger en cercle ou en carré, selon les chambrées, mais « très respectueusement », comme les soldats, saluer, la main sur le front, jusqu'à ce que le drapeau soit descendu et que le mot d'ordre « rompez ! » ait été lancé ! En somme, tout le protocole.

Nous étions, je le rappelle, à la mi-janvier 62. Pour la troisième fois, les négociations s'annonçaient entre représentants du gouvernement français et ceux du F.L.N. La guerre en était à sa septième année. N'importe, dans ce camp, chacun des sept cent cinquante détenus algériens avait quelques heures pour décider s'il allait se plier à cette cérémonie – quelqu'un, je me souviens, dit : « à cette provocation ».

Toute la matinée, les chambrées bourdonnèrent de débats divers. Moi, après la première leçon politique que m'avait infligée Brahim, je ne le quittais plus d'une semelle. Il n'intervenait pas chez nous, il écoutait. « Je déciderai, le dernier ! » me dit-il, voyant que je le suivais comme un second père, ou le grand frère que j'aurais aimé avoir. Je sentais pourtant que, pour lui, tout était décidé.

– Tu comprends, me dit-il, les laisser choisir selon leur conscience ! Cet officier français sait bien qu'on est au dernier quart d'heure. Il fait de la parade !

Jamais Brahim n'avait été aussi loquace avec moi depuis ce malheureux jour dont j'avais honte maintenant. Chacun, dans notre chambrée, d'intervenir :

– Moi, dit l'un (et quelqu'un me précisa aussitôt qu'il avait été très amoché lors de son interrogatoire, sans rien céder), pour un chiffon, remettre ça ! Cela n'en vaut pas la peine !

Un autre se mit à reprocher au petit groupe de nouveaux d'avoir exagéré dans leur fuite avec ostentation, chaque soir, à la descente des couleurs. Il employa d'ailleurs l'expression française à la fin de son petit discours au ton excédé.

– Il faut les comprendre, expliqua-t-il. Ils sentent bien qu'ils ont perdu la guerre ! C'est normal, c'est à nous de mettre les formes, à présent !

– Les ménager ! ricana un troisième, mais avec rancœur.

Les discussions s'éternisaient. C'était clair, on approchait de la fin de la guerre. Nombreux étaient les détenus qui rêvaient à leur retour dans leur famille. Le moment s'imposait pour l'ultime décision : les détenus s'égaillèrent dans la cour.

Resta au fond, assis à sa place habituelle, Brahim justement, et silencieux. J'allai jusqu'à lui :

– Va avec les autres ! me dit-il doucement.

Je l'ai fixé, interrogatif.

– Moi, ajouta-t-il après un silence et sur un ton ferme, je ne bougerai pas d'ici ! Je l'ai décidé, dès ce matin ! Qu'ils fassent ce qu'ils veulent !

Il eut une ombre de sourire.

– Va, je te dis, fais comme les autres ! Ce n'est pas important, cette fois !

Puis, derechef, tandis que je lui tournais le dos pour me diriger vers la porte, je l'entendis ajouter :

– Tu comprends, mon petit, pour moi, ce serait une humiliation !

Mon cœur battit parce qu'il m'avait appelé spontanément et en français « mon petit ». Je me retournai, je regardai la façon qu'il avait de se caler à sa place, le visage cette fois fermé.

Je ne suis pas sorti avec les autres ; je ne les ai pas rejoints pour saluer le drapeau français. Je voulais rester avec Brahim. Je n'étais pas sûr qu'il m'accepterait.

Par ailleurs, j'étais vraiment curieux de voir ce qui allait se passer dehors. Je m'assis sur le seuil de notre baraque, les pieds à l'extérieur, comme si j'allais céder et participer à la cérémonie patriotique. En même temps, tournant la tête et restant dans la chambre, je me disais que je faisais – à moitié, oh oui, hélas, seulement à moitié ! – cause commune avec Brahim !

Finalement, ma curiosité fut la plus forte.

Cinq heures moins quelques minutes, la sonnerie de la trompette va commencer dans le silence et le début de crépuscule d'hiver ; et moi, qu'est-ce que je vois, dehors ? Au moins sept cents détenus, en somme, une armée de gueux, tous debout, pas raides, non, pas dressés en ordre, plutôt en désordre, et le corps hésitant, mais tout de même debout ! Tous, debout ! Tous, sauf Brahim, fermé sur lui-même, n'acceptant pas « l'humiliation », a-t-il dit, lui qu'on va venir bientôt chercher, traîner à coups de pied ou mettre en joue !

Déjà, je vois la rangée des militaires qui se dirigent, droits comme des soldats de plomb, vers le centre de la cour et vers le fameux drapeau. L'homme à la trompette est déjà là-bas : il tient son instrument presque impatiemment. Un sous-officier commence à passer entre les rangs des frères, car on s'appelait tous frères, dans ce camp, « frère », *ya khou*. Le petit soldat, qui fait de l'excès de zèle, commence son boulot : il va vérifier l'intérieur des baraques... C'est pour Brahim que je m'inquiète ; je m'oublie moi-même. Une passion froide me raidit.

20 ou 21 janvier 62, presque six mois avant l'indépendance, mais, de ce tournant décisif, personne n'était encore assuré ! Sauf que, dans les deux camps, les détenus et les soldats, l'on sentait bien que chacun était à bout : le pays, exsangue, les politiques épuisés et contestés de chaque côté, les morts, aucune chance de les ressusciter !

Je dis cela, à présent que je me souviens si nettement de cette scène au soleil de sept cents prisonniers qui, d'une certaine façon, en ont marre :

« Debout, trois minutes, un drapeau qui descend, c'est quoi, trois minutes, non... ? » Après tout, dans d'autres occasions, il y aurait même eu *La Marseillaise* – « Ce chant, me dis-je, où, pour une fois, ce ne sont pas nous les égorgeurs ! » Cela aurait pris plus de temps avec le chant de la Révolution française. Non, aujourd'hui, c'est seulement trois minutes ! On peut bien, durant la dernière étape de la guerre, renoncer trois minutes seulement à l'héroïsme, à la posture d'intransigeance !

Brahim, devant moi, a dit, sans durcir le ton : « Pour moi, ce serait une humiliation ! » Brahim, seul.

Et moi, ma solution mi-figue mi-raisin, c'est quoi ?

Certes, une curiosité de jeune gars, l'œil aux aguets, m'habite : que va-t-il se passer ? Ce serait cela, l'adolescence : pas la logique, pas les principes déjà bien raidis, pas le raisonnement trop long à développer. Simplement, l'œil aux aguets, l'attente... L'élan en soi, comme au spectacle, en somme ! Que va-t-il se passer ?

Je suis assis, à moitié sur le seuil de la baraque : les jambes dehors, mais le regard parfois tourné vers Brahim. Brahim, socle immobile, immuable. Moi, je regarde. J'attends aussi ; excité, mais j'attends.

Ce serait cela, l'adolescence – pas la décision, non pas encore, pas la route ouverte et l'engagement irréversible, pas encore : l'entre-deux, juste pour un instant, encore.

Et l'inattendu, dans le quart d'heure qui suivit, arriva.

Entre les rangs des détenus résignés, un sous-officier zélé va et vient en observateur : il a fait auparavant signe au trompettiste d'attendre encore un peu. Non loin de celui-ci, au moins cinq ou six autres soldats, en cercle autour du mât, patientent également.

L'attente, donc. Le sous-officier qui fait ainsi retarder les « trois minutes » semble dire à ses confrères : « Ce n'est pas tous les jours qu'on a ainsi à sa disposition sept cents indigènes, enfin obéissants, dociles, et qui sont prêts au salut réglementaire – la main sur le front – pour regarder notre drapeau lentement descendre au soleil couchant... Une belle victoire ! »

Enfin, c'est moi qui imagine, bien sûr, de ma place, et le sous-officier est loin, de l'autre côté. Il s'arrête, fait signe à l'un des nôtres : « Plus droite, la posture ! » et à un autre : « Ta veste, arrange-la ! » Quelques détails, pour que tous les figurants soient comme sur une carte postale !

Et moi, toujours assis, mais le cœur gros, je me dis, dents serrées : « Brahim a raison, quand on cède une fois, et même par pure forme, alors pas de quartier chez le maître : il cherchera à te faire tomber jusqu'à ton pantalon ! »

Soudain, le sous-off s'approche d'un détenu que j'aperçois, un gars dont je vois seulement la silhouette. Je ne le reconnais pas, il n'est pas de ma chambrée.

Le Français s'est approché de lui. A crié :

– Salue le drapeau ! Et, de la crosse de son arme, il lui assène un coup sec sur l'épaule.

Le détenu se rebiffe : il devait être, au début, disposé à se ranger avec les autres. Mais saluer leur drapeau, non ! Alors, le Français le frappe à nouveau avec la crosse, deux, trois fois, sur le bras. L'homme vacille, chancelle, ne tombe pas ; se redresse.

Et il ne salue pas.

Le sous-officier le refrappe et soudain je l'entends hurler :

– Crie au moins ! Tu as mal...

L'homme, quelque peu chancelant, fait non de la tête.

Je me suis dressé. J'ai fait quelques pas pour mieux voir, pour entendre. Les autres se sont tous tournés vers le duo : celui qu'on frappe, celui qui frappe.

– Je t'ordonne de crier ! hurle le soldat, d'une voix presque de fausset.

L'Algérien, chancelant, silencieux. Tous, nous sommes comme happés par le paroxysme de la scène : le Français hurlant et hors de lui, frappant avec la crosse, cette fois sans s'arrêter. Le bras de l'homme s'est cassé : j'ai entendu le « han » en chœur de ses camarades autour.

– Crie ! Tu as mal ! Merde, je veux qu'il crie !

Le détenu, nous le voyons nettement, a maintenant le bras qui pend, comme tourné à l'envers : il va tomber, il ne dit mot.

J'ai avancé, sans même m'en apercevoir ; dans des rangs, qui me sont devenus proches, quelques mouvements parmi les autres témoins : l'un va s'élancer ; un autre l'en empêche...

Soudain, deux autres sous-officiers arrivent, entourent leur collègue, lui retirent son arme, l'éloignent. Le détenu est à genoux. D'autres soldats approchent : deux avec une sorte de brancard. Ils se penchent vers notre frère, maintenant à terre.

– À l'infirmerie ! dit l'un, alors que le sous-officier fou furieux n'est plus visible.

L'intervention des autres sous-officiers a permis d'éviter une mutinerie. Nous étions sept cents pour la descente du drapeau. Dix soldats armés, dix seulement, se trouvaient parmi nous. Quelques minutes encore de ce face-à-face, de cette hystérie : « Crie ! Je veux que tu cries ! » et quelques détenus, jusque-là immobiles, déclenchaient l'émeute.

En retournant vers Brahim, je me répète : « Dix seulement avec leurs armes et eux, sept cents détenus, qui avaient accepté de saluer – sachant que c'était vraiment pour la dernière fois – le drapeau de la République française. »

Il n'y eut plus, les jours suivants, l'obligation de le saluer.

Peu après, on décidait de me transférer, avec deux autres jeunes presque de mon âge, pas majeurs comme moi, dans un autre camp, le camp du Maréchal, nous dit-on, dans le camion qui roulait sur les routes de Kabylie.

« Je n'ai pu dire au revoir à Brahim, pensais-je. Je n'ai pas revu, même de loin, Mourad le messaliste. Mais surtout, celui qui n'a pas voulu crier, je n'ai aperçu de lui qu'une silhouette, qu'un entêtement : ce serait un refus plus passionné encore que celui de Brahim ? »

Bien plus tard, j'ai fini par voir en ce détenu qu'on frappait l'image de mon peuple tout entier refusant de se plaindre durant toutes ces années. Je ne peux m'empêcher de m'interroger : maintenant que je suis rentré, est-ce que le martyre va reprendre : les convulsions, la folie, le silence ?

Serais-je rentré pour rester, comme autrefois, à regarder : regarder et me déchirer ?

TROISIÈME PARTIE

La disparition

Septembre 1993

« Quelle patrie ai-je, moi ? Ma terre, à moi, où est-elle ? Où est la terre où je pourrais me coucher ?
En Algérie, je suis une étrangère et je rêve de la France ; en France, je suis encore plus étrangère et je rêve d'Alger. Est-ce que la patrie, c'est l'endroit où l'on n'est pas ?... »

Mathilde, dans *Le Retour au désert* de
BERNARD-MARIE KOLTÈS

« Homeless at home. »

EMILY DICKINSON

Driss

1.

Les trois jours que dura la visite de Marise à Alger, Driss la retrouvait chaque soir chez l'amie qui l'accueillait. Ils parlaient longuement, quelquefois dans le désordre et l'émotion, de la disparition de Berkane, sur une route de Kabylie.

Huit jours, cela faisait huit jours exactement. La voiture de Berkane avait été retrouvée dans un fossé, sur une route écartée, à moyenne altitude ; elle était simplement renversée. Aucun bagage, ni papier ; pas le moindre indice. Des buissons piétinés autour ; sans plus. C'était un berger qui avait alerté la gendarmerie de Tadmait, une petite bourgade qui s'était appelée jusqu'à l'indépendance : camp du Maréchal.

Averti par la police de Dellys qui avait ouvert l'enquête, Driss s'était précipité jusqu'à ce petit port ; de là, le soir, il avait appelé Marise qu'il connaissait depuis longtemps :

– J'avais rencontré mon frère quelques jours avant qu'il ne décide ce voyage : il voulait retrouver les lieux de sa deuxième détention, en 62. Je l'avais mis en garde. Il me dit qu'il roulerait en une seule étape jusqu'à Dellys – qui est une petite ville tranquille. Ce n'est que le début de la Kabylie. Les gens de Dellys sont d'ailleurs arabophones...

Driss rêva, un instant, se remémora :

– Berkane m'avait promis que, lorsqu'il irait à Tadmait, ce serait pour quelques courtes visites : « Prendre des photos des lieux, surtout parler à des gens âgés qui peuvent se souvenir de notre camp de détention ! » me dit-il. Je lui ai demandé de me téléphoner chaque soir, ce qu'il a fait quatre jours de suite. Le cinquième, j'étais tout à fait tranquille : c'était le jour de son retour !

La communication avec Paris fut coupée. Marise avait noté le trouble et le désarroi dans la voix de Driss. Elle était attachée à celui-ci comme s'il était de sa famille. Elle l'avait connu lors de son premier voyage parisien à ses vingt ans. Ensuite, à chacun de ses séjours, si Marise jouait dans un théâtre, il venait voir la pièce, quelquefois deux ou trois fois de suite...

En fait, bien qu'étant son aînée seulement de cinq ans, Marise avait pour Driss une tendresse presque maternelle.

Elle le rappela le lendemain. Quand elle sut que les recherches ne donnaient rien, elle annonça qu'elle arriverait le dimanche suivant :

– J'ai une amie anglaise qui est attachée d'ambassade à Alger. Je viens de lui parler. Elle tient à ce que je loge chez elle !

– Je vous attendrai à l'aéroport ! promit Driss, qui vouvoyait toujours l'amie de son frère.

Dès qu'il avait su la nouvelle, Driss avait donc roulé d'une seule traite jusqu'à Dellys.

Le commissaire de police l'avait reçu. Rien encore n'avait été rendu public ; on avait relevé les empreintes, le peu de traces autour de la voiture. On attendait la famille ; Berkane était perçu comme un « émigré de passage ». Avait-il donc réellement disparu ? La voiture avait été transportée à Dellys : pas grand-chose à réparer : deux glaces cassées à l'avant, probablement dans la chute. Restait l'interrogation : Berkane avait-il tout son équilibre mental ?

Un personnage corpulent, la cinquantaine, en tenue civile, assistait, depuis le début, à l'entretien. Driss comprit que cet homme devait être, pour la région, un envoyé de la Sécurité militaire ; ce que tous appelaient ici « les services ».

L'homme à l'air important fit part de ses regrets, en formules conventionnelles et fleuries, en langue arabe. « Presque des condoléances », se dit Driss, tendu soudain. L'homme reprit sa place ; il suivrait, daigna-t-il dire peu après, personnellement l'enquête.

Driss expliqua l'histoire du retour de Berkane. Celui-ci avait choisi de revenir vivre, retiré, dans ce village au bord de la mer : resté célibataire et logeant dans la demeure familiale, bénéficiant d'un petit pécule grâce à une préretraite française, il écrivait.

– Il écrivait ? interrogea le commissaire, l'œil soupçonneux.

– Il écrivait un roman...

Un suspens dans l'air. Si Driss avait eu le cœur à plaisanter, il aurait ajouté, le sourire en coin :

« Pas un roman policier, monsieur le commissaire ! »

À ce moment-là, l'observateur « des services » avait choisi de se lever. Trop pressé était-il, trop important se sentait-il sans doute, pour s'attarder sur le cas d'un quidam anonyme. Le dialogue avait continué, tout naturellement, en français : le commissaire avait dû passer son examen professionnel, les ultimes années de l'époque coloniale, ou juste après. « Ce brave fonctionnaire se sent sans doute plus à l'aise dans la langue de Voltaire », s'était dit Driss, se rappelant en même temps l'une des remarques de Berkane, lors de leurs entretiens : « En écrivant mes souvenirs de jeunesse, avait-il confié à son jeune frère, le français devient ma langue de mémoire... »

Le travail de police est un travail de mémoire aussi !

Driss passa la nuit dans le seul hôtel, un peu délabré et qui datait semblait-il des années vingt ou trente. Il alla examiner la Simca dont se servait jusque-là Berkane : celui-ci l'avait achetée d'occasion, à Marseille, car il n'avait eu qu'un désir impatient, se rappela Driss : revenir chez nous, mais par la mer, jouir de l'ample et royal panorama qu'offre à tous cette arrivée à l'aube !

« Sur le pont, immobile, je me suis empli les yeux de cette beauté offerte... elle, ma ville des tempêtes ! » Driss entend encore la voix de Berkane qui disait son éblouissement, en réponse au reproche si prosaïque que son frère lui avait fait en souriant :

– Tu n'as même pas songé, en rentrant au pays, à ramener, comme tout émigré de retour, au moins une voiture neuve !

À Dellys, Driss signa tous les papiers qu'on lui demanda, laissa son adresse, son téléphone au journal et reprit la route, vers onze heures du matin. Mais, une fois hors de la petite ville, il ne cessa de regretter de ne pas avoir livré un détail, peut-être important – cela l'avait réveillé déjà dans la nuit, comme un remords.

Comme deux autres de ses collègues, il recevait, depuis deux ou trois semaines, à son domicile à Alger et par la poste, « la lettre fatale » : à savoir un morceau de coton blanc, une petite dose de sable dans un étui et un papier plié en quatre sur lequel était inscrit en lettres arabes, un seul mot : « *renégat* ».

Driss, à la première des lettres, en avait parlé à son directeur, qui lui avait dit sobrement :

– Avec toi, maintenant au journal, nous sommes donc trois à être condamnés à mort par les fous de Dieu !

Alors, seulement, Driss avait médité le sens de ces signes macabres : le tissu blanc annonçait le linceul et le sable, la terre de la tombe, puisque tout musulman, enveloppé de tissu blanc, repose au fond de sa tombe, à même le sol.

Ils avaient convenu qu'ils n'avertiraient pas, pour l'instant, les services de la police ou de l'armée ; qu'ils n'en parleraient pas, non plus, à leurs collègues. Ensemble, ils se concertaient régulièrement pour les mesures de précautions minima : changement fréquent de domicile, horaires variables des déplacements et, si possible, pas toujours la même voiture !

– Pour l'instant, ils nous intimident pour que nous changions le ton de nos articles, remarquait, impassible, le directeur.

Au cours de l'entretien avec la police à Dellys, Driss s'était demandé si Berkane, portant le même nom que lui, n'avait pas été victime d'une erreur. Il avait hésité à confier sa crainte, puis s'était rappelé son accord avec ses deux collègues et s'était tu.

Roulant pour revenir au plus vite à Alger, il décida de rester discret, mais de se concerter, sur ce point, avec son directeur, certainement plus menacé encore que lui. Il songea aussi à Marise qui arriverait le lendemain : il lui parlerait à cœur ouvert, se dit-il.

Quant à la famille, en particulier son frère aîné, en poste dans une ambassade lointaine, il ne lui dirait rien, pour l'instant. De ses deux sœurs, l'une, prévoyante dès l'assassinat du président Boudiaf, avait réussi par sa firme française à se faire nommer en France. La seconde, plus émotive, allait sans doute pleurer, le harceler de ses craintes : il était le benjamin de la famille. Il décida de la laisser à l'écart, ne pas l'exposer inutilement, elle, au demeurant, mère de famille.

Driss se sentait plus désemparé, en fait, de la disparition de Berkane que des périls, assez confus, qui semblaient peser sur sa propre personne. Le ton, pourtant, des articles qu'il rédigeait et signait le faisait paraître, pour son public, comme un pamphlétaire acerbe. Son directeur lui avait demandé de les espacer.

Cette nuit-là, chez lui, il se réveilla plusieurs fois et se mit à écrire... sur son ami Tahar Djaout, assassiné trois mois auparavant et qui lui avait servi, au début, de mentor dans sa profession.

2.

Marise, sortant de la file des voyageurs, s'approcha de Driss et l'embrassa affectueusement. Le journaliste, qui ne l'avait pas revue depuis trois ans, eut son habituel émoi : « Toujours si belle ! Ses yeux immenses, sa grâce ; un peu plus épanouie, peut-être ! »

Elle lui prit le bras, le serra.

– Aucune nouvelle ? demanda-t-elle, tendue.

Driss fit non de la tête ; il la précéda au parking où il avait garé sa voiture. Ce ne fut que lorsqu'elle s'assit à ses côtés, qu'il démarra et qu'ils furent sur l'autoroute que, d'un coup, elle baissa la tête et, avec des hoquets silencieux, sanglota.

À nouveau, comme lorsque l'homme « des services », à Dellys, lui avait présenté presque des condoléances, Driss, à entendre les pleurs spasmodiques de Marise, eut la sensation physique (comme une lente certitude qui déchirerait devant vous un drap immense) que son frère, qu'à la fois il admirait et aimait, ne reviendrait plus... Berkane évaporé dans l'air ou déjà cadavre au fond d'un fossé ? Il s'entendit dire, presque sèchement, à Marise qui se mouchait :

– Rien n'est perdu, je crois... Si ce sont « eux » qui ont fait le coup et s'ils l'avaient tué, ils ont l'habitude de revendiquer, par tract ou par lettre, leur crime !

Ils ne parlèrent plus jusqu'à l'arrivée, à la maison ancienne – et gardée – du quartier résidentiel d'El Biar où logeait l'amie de Marise. Driss salua Ellin, resta seulement quelques minutes. Il promit à Marise de lui téléphoner le lendemain matin.

– Nous passerons les soirées ensemble, si vous le voulez bien, Marise, proposa-t-il.

– Comme cela, vous me mettrez au courant ! murmura-t-elle avec un pauvre sourire.

Le jour même, dans l'après-midi, il partit à Douaouda : il avait le double des clés de l'appartement de son frère. Berkane, lors de leur dernier entretien, lui avait précisé, sur un ton de légèreté :

– Dans le placard très profond de la chambre où je dors, j'ai installé une petite commode, peinte en bleu, celle qu'utilisait autrefois notre mère quand nous passions ici nos vacances.

Il s'était arrêté, soudain attristé.

– Dans les tiroirs, continua-t-il, j'ai rangé tout ce que j'ai écrit depuis mon retour... C'est la seule chose de valeur que j'ai, termina-t-il en tournant le dos à son jeune frère.

Celui-ci entendit Berkane rire silencieusement, puis se retourner d'un coup et ajouter :

– Je te confie ces papiers... S'il m'arrive quelque chose, tu seras mon exécuteur testamentaire, c'est clair !

En même temps, Berkane posait son regard noir sur Driss : un regard à la fois doux et grave, se rappelle le journaliste, en approchant du village.

– Je n'oublierai pas, avait-il répondu, après une hésitation, puis : Tu n'es pas drôle, aujourd'hui ! avait-il protesté.

– Mais non, rien qu'une formalité !

D'un geste, Berkane avait calmé son frère et lui avait proposé d'aller nager. Driss s'était laissé entraîner, malgré le soleil de septembre, plutôt froid à cette heure. Ils avaient ensuite déjeuné de grillades de poissons, avec Rachid, l'ami pêcheur, qui s'était joint à eux.

Driss, un peu essoufflé, entra avec hâte dans le logis de Berkane. Il remplit une valise assez profonde de tous les cahiers – et de quelques vieux livres – qu'il trouva dans le meuble de leur défunte mère. Il s'attarda à peine devant les photographies que Berkane avait fixées sommairement face à son lit. Puis il tourna le dos à tout ce décor, comme s'il fuyait l'odeur de Berkane, encore présente entre ces murs ! pensa-t-il confusément. Il reprit la route, aussitôt.

Tout en conduisant, il s'efforçait de surmonter un début d'angoisse. Il s'obligea à penser, très posément, à la sécurité des papiers de son frère. « Encore faut-il que chez moi, ces documents soient à l'abri ! se dit-il. Ce n'est pas sûr du tout ! Je dois y réfléchir, avant de revoir Marise ! »

3.

Il passa deux soirées avec l'amie de Berkane qui, chaque jour, accompagnée d'un guide, était allée rendre visite aux familles de deux ou trois de ses collègues émigrés.

– La vie semble être devenue difficile, même pour des gens qui paraissent être de classe aisée. J'ai apporté des médicaments à la mère d'une de nos habilleuses du théâtre, et des livres au frère d'un jeune acteur... (Elle sourit.) C'était bon de parler de leur quotidien ; on les sent inquiets, mais ils restent si chaleureux !

Elle se tut. Ellin, en introduisant Driss dans son salon vaste et ombreux, s'était excusée de devoir se rendre à une réception, « obligation professionnelle », avait-elle soupiré.

Driss comprit qu'elle agissait ainsi, par discrétion.

Resté seul avec Marise, il déposa devant elle les deux paquets qui contenaient tous les papiers de Berkane.

« Ce que j'ai de plus précieux ! » m'a dit mon

frère, la dernière fois où je suis allé passer une fin de semaine avec lui !

Driss hésita, puis avoua, assez vite :

– Actuellement, je change de domicile assez fréquemment, comme tous mes collègues du journal, par simple précaution !

Il sourit, incertain, et continua en tendant à la comédienne l'un des paquets, le moins volumineux :

– Cela représente, je crois, tout ce que Berkane a pu écrire et vouloir conserver... Il a lui-même tout classé. Dans ce premier paquet, c'est très simple et c'est pourquoi j'ai mis cela à part : ce sont des lettres ; sur l'enveloppe, il y a partout votre prénom, Marise... (Il se pencha et tendit le paquet.) Je les ai trouvées cachetées, avec votre adresse. Il n'y manque que le timbre.

Marise regarda le paquet à demi entrouvert et eut soudain un sentiment de panique : ces enveloppes, assez volumineuses, fallait-il vraiment que le sort les lui apporte ainsi, comme si Driss devenait le messager de quelque annonce irrévocable ? Elle leva vers lui ses yeux immenses, embués de premières larmes.

Le journaliste se raidit puis se leva et se dirigea vers le balcon ouvert sur la baie. Il alluma une cigarette, pour retrouver contenance. Marise, en silence, s'approcha de lui, lui posa la main sur l'épaule, et sans le regarder :

– C'est dur, pour nous deux, Driss ! Excusez-moi : je vois bien qu'hélas, je suis venue pour rien !

– Oh non, s'exclama-t-il, merci d'être venue, au contraire. Savez-vous... (Comme ils retournaient à leurs sièges, un garçon silencieusement entra avec un plateau d'argent : des boissons, du café chaud.)... Non, votre présence me donne de la force : je n'ai, jusqu'alors, prévenu ni ma sœur ni... Vous savez, je suppose, que mon frère aîné et Berkane ne se parlaient plus depuis longtemps : il me faudra pourtant l'avertir !

Ils s'efforcèrent ensuite de parler de tout autre chose : la situation dangereuse, pas seulement la violence islamiste ; il y avait beaucoup de disparus, après interrogatoires de simples suspects par les forces dites « de sécurité ».

– Je reconnais que la peur s'installe, surtout dans les familles humbles, et malheureusement des deux côtés de la fracture.

– Il doit être difficile de faire son métier de journaliste, ainsi, remarqua Marise.

Juste avant de partir, Driss précisa que, dans

le deuxième paquet, toujours ficelé, il y avait à la fois un manuscrit et un cahier.

– Le cahier, vous verrez : mon frère a écrit, sur la première page, simplement *Journal*. Je crois qu'il l'a daté, presque jour après jour. Mais je n'ai ouvert que les premières pages !

– Je ne veux pas le lire ! protesta Marise.

– Faites comme vous voulez : mais vous me rendrez service, car tous ces papiers, même très personnels, je serais plus tranquille si vous les gardiez, pour mon frère, chez vous, à Paris.

Elle coupa la ficelle, sortit un cahier d'écolier, un deuxième, de couleur orange, avec le nom de Berkane. Elle ne les ouvrit pas.

– L'autre enveloppe, continua doucement Driss, c'est un manuscrit... Complet ou non, je n'en sais rien. Il porte, comme vous le verrez, le titre *L'Adolescent*. Mon frère avait tapé, en dessous, *roman*. Puis il a barré cette mention et a écrit, de sa main, le mot *récit*. Je pense qu'il a dû emporter avec lui la suite...

Toujours baissé vers Marise assise, il s'exclama :

– En somme, c'est pour finir ce texte qu'il est allé au-devant du danger !

Ensuite, il l'incita doucement à ce que, une

fois retournée à Paris, elle se mette à lire cet *Adolescent*, même inachevé. En la quittant, il insista, à nouveau :

– Pour *L'Adolescent*, je crois que c'est à vous de le lire, de savoir ce que nous devrions en faire au cas...

Il ne termina pas sa phrase : il eut un geste nerveux des doigts, en signe de protestation ou d'impuissance.

Marise

1.

Comme Marise se dirigeait vers l'aéroport, en compagnie d'Ellin, ce matin de novembre 93 :

– Sais-tu, dit-elle à son amie, je sais bien qu'à Paris je vais trouver la brume et le ciel bas d'hiver, et pas cette luminosité-là – elle fit un geste, hors de la fenêtre de la voiture qui roulait assez vite. Pourtant, cette ville que je quitte ne me paraît pas blanche, non, sombre et obscure plutôt... J'ai peur, Ellin !

Celle-ci la rassura d'une pression tendre de la main.

– Il faut espérer !... Aie confiance. Tu es toujours forte dans l'épreuve, je t'assure !

Dans l'avion, Marise fut tentée d'ouvrir les trois longues lettres que Berkane lui avait écrites.

Elle parcourut la première, se sentit émue de voir écrit sous ses yeux, et avec cette écriture longue de Berkane, oui, vraiment, inscrit sur papier ce désir d'elle – de son corps et d'elle tout entière – qui l'avait tenaillé. Lui, loin de Paris et conversant avec elle dans ce village où elle n'était même pas allée, lui parlant tout contre son oreille à elle, tout contre son corps nu... L'amour de Berkane. En vérité, c'était elle qui l'avait poussé à la quitter, puis à repartir vers sa terre natale...

Elle ne pleura pas. Mais, en sortant de l'avion à Roissy, elle mit des lunettes de soleil.

Elle savait que Thomas, un critique de théâtre d'un certain renom et qui lui faisait une cour discrète depuis quelques mois, s'était informé auprès d'Ellin des horaires de l'avion qu'elle prendrait. Il avait dit qu'il lui ferait « une surprise ». Il l'embrassa donc sur la joue, dans le hall, à la sortie des bagages.

– Je m'inquiétais pour vous ! lui dit-il, en lui prenant la main.

Elle se laissa entourer, consoler par Thomas, les jours suivants. Comme si, en acceptant sa compagnie, elle avait au moins quelqu'un à qui parler de Berkane !

Elle refusa successivement deux rôles assez

importants : elle voulait pleurer sur scène : se laisser aller et, grâce à un texte – n'importe lequel –, pleurer Berkane, pleurer son Algérie, pleurer son retour qui était devenu une disparition, pleurer aussi quoi, elle ne comprenait pas très bien et elle en avait peur, plus que de l'absence même de Berkane (à laquelle elle s'était résignée, ces deux dernières années puisqu'elle lui téléphonait régulièrement, lui, plus rarement), non, ce n'était pas surtout son absence qu'elle voulait pleurer, ce qui, soudainement, la torturait, c'était plutôt le rapt de Berkane – cause amère de sa souffrance actuelle, oui, un rapt de Berkane tout entier (dans ses racines, y compris sa langue maternelle, le fond obscur de Berkane ajouté au Berkane distrait, mais charmeur qu'elle avait connu), cet homme redevenu lui-même, au point qu'enfin il s'était mis à écrire, à réaliser son rêve et, bizarrement, à lui en être reconnaissant à elle. Mais tout de même, son journal disait – à demi-mot certes – sa passion pour N. l'inconnue, la rivale, la passagère, certainement une femme-pirate avec des aventures à chaque étape, une « allumeuse » comme savaient l'être si souvent les Orientales, une fois qu'elles avaient franchi le pas, qu'elles devenaient transfuges, qu'elles rompaient avec le clan de leurs mâles, de leurs frères, de leurs cousins et qu'elles allaient chercher leur proie ailleurs...

C'était, pour Marise, ce nœud de souffrance – pas tellement juste, ni vraie, floue au contraire, ambiguë – qu'elle rapportait de son voyage à Alger : découvrir que Berkane avait été la proie (elle savait l'image grandiloquente) de cette femme, N., avec laquelle il semblait n'avoir passé que deux ou trois nuits...

Avec l'amertume inattendue qu'elle y trouvait (un peu comme une femme légitime découvrant, à la mort brutale de l'époux, qu'il avait une maîtresse plus jeune ou plus aimée), elle expérimentait une sorte de douleur rétrospective de cette « trahison »... Non, elle exagérait, elle le savait. Parce qu'elle ne jouait plus sur scène depuis au moins une saison, voici qu'elle se faisait son propre mélodrame... Non ! Elle arrêta ses jérémiades, se redressa.

Tout d'abord, dire oui à Thomas qui attendait. Qui n'attendrait pas longtemps, malgré le désir qu'il avait d'elle : il connaissait sa propre valeur, conscient également de sa position, de l'importance qu'il était en train de prendre dans un milieu restreint, à cheval entre les professionnels de la littérature et un groupe assez austère d'auteurs de théâtre, réputés difficiles.

Elle dirait oui à Thomas : une façon de prendre le deuil de Berkane, après tout !...

2.

Trois semaines s'étaient écoulées depuis la disparition de Berkane : toujours rien, pas de corps, pas de traces de ravisseurs. Driss l'appelait régulièrement : il avoua que, comme son directeur, il se cachait, se déguisait, se terrait parfois : la chasse aux intellectuels francophones avait repris de plus belle.

Ces mois de septembre et d'octobre, les flots d'exilés grossissaient : les journalistes en tête, les écrivains également (même un ou deux qui avaient fait savoir pourtant qu'ils écriraient désormais en arabe. « Ce que n'aurait jamais fait Berkane, se dit Marise, lui qui avait tant besoin de ses deux langues ») ; les professeurs, les médecins, les comédiennes et les chanteuses de raï également fuyaient, ces dernières quelquefois mutines, quand, à la fois pleurant et riant comme des gamines, elles racontaient la traque et leurs dernières alarmes à Alger...

Les assassinats se multipliaient, presque tous revendiqués. Comme si Berkane et sa disparition muette se trouvaient au centre même, en creux, mais au cœur de cette tourmente, de cette folie. Lui, le solitaire !

En octobre, au moment où plus d'une trentaine de comédiens trouvaient abri à la Cartoucherie, dans la banlieue est de Paris, et que Marise, en souvenir de Berkane, participait régulièrement aux manifestations de solidarité, certains de ces artistes décidaient de « jouer » leur présent de persécutés par des montages de textes et de poésie... Un humoriste célèbre, lui, faisait rire à pleurer sur l'état de désespérance des jeunes à Alger, et il le faisait, dans un français à lui : Marise alla l'écouter, et même si cela s'apparentait plus au cabaret qu'au répertoire en demi-teinte ou tragique auquel elle était sensible, pendant que les spectateurs, autour d'elle, riaient, elle, Marise, spectatrice à son tour, riait parfois, par contagion, mais le plus souvent pleurait : pleurait Berkane parce que quelque chose dans la voix et l'accent en français de l'humoriste lui rappelait presque intimement son amant disparu.

Fin novembre 93, les francophones des deux sexes et de diverses professions (journalistes, professeurs, syndicalistes, médecins...) fuirent en désordre leur pays pour la France, le Québec, un peu comme les Morisques andalous et les Juifs de Grenade, après 1492 et, par vagues régulières, tout le siècle suivant, s'en étaient allés, un dernier regard tourné vers les rivages espagnols, pour aboutir – grâce à la langue arabe d'alors – d'abord à Tétouan, à Fes, à Tlemcen et tout le long du rivage maghrébin. Ainsi, comme l'arabe avait ensuite disparu dans l'Espagne des Rois très Catholiques – ceux-ci aidés vigoureusement par l'Inquisition –, est-ce que soudain c'était la langue française qui allait disparaître « là-bas » ?

Marise répéta haut « là-bas ». S'écoutant parler seule, divaguer seule, elle sanglota longuement, une dernière fois. Après...

Eh bien, après, cela lui était plus facile tantôt de se laisser emporter par le flot hyperbolique de sa douleur, tantôt par décision brutale de s'en détacher – une peau qu'elle s'arrachait et qu'elle regardait, elle, avec des yeux froids et lucides, cruels. Un jour, elle résolut de s'en dépouiller pour de bon, comme si demeurait, partout où elle se trouvait, un public invisible autour d'elle pour la soutenir.

« Laissez-moi changer de peau, gémit le roi ! »

Elle déclama soudain ce vers – il y avait des années, dans quel récital poétique de sa jeunesse, avait-elle ainsi brillé pour un premier public ? Elle oubliait le poème, elle ne se souvenait même plus du poète, elle ne connaissait pas encore Berkane, elle débutait à peine. Sa mémoire lui livra un autre lambeau :

« Prenez ma langue et mes mots, ceux que je crache et les plus beaux... »

Elle ne savait plus, elle pleura à nouveau, songeant soudain que c'était à cause de sa langue française que Berkane avait disparu. « Ces mots que je crache », scanda-t-elle, violente, contre elle-même : car ils avaient été tous deux accouplés par les mêmes sons et la musique des mêmes mots, elle qui les lançait par-delà la rampe, mais lui, lui, à cause d'eux, ne gisait-il pas désormais dans la fosse ?

Après plusieurs accès d'un tel désespoir, elle fit ainsi, par paliers, « ses adieux à sa douleur », sans aucune déclamation, même si elle se maintenait, certain matin, dans le sillage de Baudelaire : « Sois sage, ô ma Douleur, et tiens-toi plus tranquille ! »

D'ailleurs, comme Berkane l'avait assez vite remarqué, ce n'était pas dans le répertoire français qu'elle était la meilleure (ni Marivaux, ni naturellement Hugo, ni encore moins Claudel), peut-être les contemporains. Finalement, c'étaient les Russes, ses préférés, avec leur mélancolie qui perlait entre deux mots, dans les silences, et qui, dans un rythme incertain, modelait aussi votre corps, vos gestes et les inflexions de votre voix pas traînante, non, ni geignarde, surtout pas, ruisselante plutôt, mais en dedans...

Berkane et les Russes, et sa passion de Tchekhov. Ah, s'il était là, s'il avait accepté de revenir, comme les nouveaux réfugiés de son pays, si elle lui avait dit (et l'imagination de Marise s'envolait) :

– Te voici, non plus émigré, mais réfugié !

– Réfugié sans papiers, aurait-il dit, à supposer qu'il eût accepté de revenir...

– Non pas sans papiers, aurait-elle rétorqué. C'est facile, tu m'épouses ou je t'épouse au choix, et tu n'aurais qu'à écrire, installé dans n'importe quel village de Provence, cela ne changerait en rien ta vie présente : le paysage, le même, ne m'as-tu pas raconté, tu t'en souviens, tant de vies de « corsaires d'Alger » qui venaient en fait de Venise, de Calabre, de Corse, ces lieux d'origine dont ils gardaient trace jusque dans leurs noms de mahométans ! Simplement, tu ferais l'inverse ! Tu viens chez nous et tu marques, dans ton nom, je ne sais quoi de ta Casbah natale... Un nom de rue, par exemple !

Mais il ne répondrait pas, Berkane... Il n'entrerait pas dans son jeu à elle, elle l'hallucinée, la demi-folle lorsque Thomas la laissait seule maintenant – maintenant qu'elle lui avait dit « oui », qu'elle allait déménager, s'installer chez lui. Il la voulait « chaque nuit, disait-il, pas de demi-mesure ! ».

Donc elle se faisait son théâtre une dernière fois dans son salon où il lui fallait commencer à ranger ses bibelots, ses parfums, ses livres en édition rare des textes qu'elle avait interprétés, ses albums de photographies de scène – un par année, il y en avait plus de douze.

Mais le thrène de sa douleur, qui peu à peu allait s'épuiser comme de la cendre, ou des soleils enterrés, ce flux se cassait toujours au même endroit : l'image ou la non-image de Berkane dont on restait sans nouvelles, otage de personne, victime d'inconnus sans visage, Berkane désormais avec juste un regard fixe, pas de corps, pas de torse nu, pas ses bras qui l'entouraient, elle, pas ses jambes hautes (elle l'avait d'abord désiré pour ses jambes), pas non plus son rire, ou plutôt son demi-rire qui laissait toujours les phrases en l'air, inachevées !

Soudain, au cours de cette crise ultime, Marise, en un éclair, au mot « inachevé » s'imagina avoir trouvé :

– Berkane, mon Berkane, tu as eu une mort inachevée ! Ils t'ont coincé peut-être, ils t'ont torturé sans doute, comme autrefois, toi, le fils de Chaoui avec l'entêtement que tu décris dans *L'Adolescent*, ils t'ont donc emporté, pas enterré, non, je le sais, à l'heure qu'il est sans doute, ils te maintiennent dans un des supplices – de ceux que tu m'as racontés se passant dans la Casbah du seizième siècle, c'était au temps de notre « bon » roi Henri IV, assassiné, lui aussi,

Mais pas toi !

Tu es vivant,

Inachevé, mais vivant !

Elle s'arrêta de pleurer. Elle déménagerait bientôt, elle ferait l'amour avec Thomas, dans le lit de Thomas, dans la chambre de Thomas qui avait été la chambre des parents de Thomas !

Marise devrait se taire : désormais, elle serait silencieuse à propos de Berkane. Se fermer, se durcir, ne pas oublier...

3.

Elle accepta d'emblée le rôle de Mathilde dans une reprise du *Retour au désert* de Bernard-Marie Koltès, mort prématurément, quatre ans à peine plus tôt.

Dès la première répétition, lorsque Mathilde, revenant d'Algérie chez son frère, gémit (ou rugit) : « En France, je suis encore plus étrangère et je rêve d'Alger. Est-ce que la patrie, c'est l'endroit où l'on n'est pas ? », Marise se sentit destinée à porter Berkane définitivement en elle, sous les projecteurs : elle serait donc sa tombe de lumière, puisque, hélas, elle l'avait poussé, deux ans auparavant, à retourner vers la terre de ses ancêtres. Retour en terre obscure !

Non, se dit-elle, tout en se laissant diriger par le metteur en scène qui ne cessait de lui rappeler :

« Attention, Koltès a voulu écrire cette pièce en comédie ! » Qu'importait ! Tout contre Mathilde, le personnage, mais au-dedans de Marise sur scène, Berkane revenait en fantôme pour habiter son amie : lui, vivant et absent, écrivant et muet, lui qu'elle cachait mais d'où elle retirait une force neuve.

Après toute une saison où, apparemment soumise au personnage de cette femme pied-noir d'Algérie qui aurait pu vivre rue Marengo, tout près de la Casbah de Berkane, Marise se sentit transformée par sa cohabitation secrète avec le disparu.

Elle le portait donc ainsi, son ami des dix précédentes années, ce temps de sa jeunesse qui s'en allait ! Dans chacun de ses rôles désormais, quels qu'ils fussent, resterait fichée en elle une épée invisible qui la maintiendrait droite ; chaque soir sur scène, elle se nourrirait de son manque de Berkane, de la présence en creux de Berkane ; resterait-il toujours « porté disparu », non, on retrouverait sa dépouille, ou seulement sa tête, se rejouerait l'histoire de ce roi de la Casbah, tête suspendue aux ganches de la porte Bab Azzoun, lui, Hassan Corso, un des rois les plus aimés d'autrefois. Berkane lui avait raconté que cette tête s'était mise à supplier tout passant qui allait entrer pour qu'on la détache et qu'on laisse rentrer le roi.

En coulisses, juste avant de paraître sur scène, il lui arrivait à elle de pleurer encore, à la pensée que, à l'heure où elle se mettrait à jouer, Berkane prisonnier dans une caverne de Kabylie, devait être encore vivant, mais torturé !...

Sortie de scène, loin des applaudissements, elle se retrouvait dans sa loge, revigorée comme actrice saluée, mais aussi veuve secrètement éplorée : la tête de Berkane, elle la voyait à son tour sur les ganches d'une des vieilles portes de la Casbah : « Détache-moi, j'ai froid ! supplie Berkane. Mort certes je le suis, mais qu'au moins je rentre dans la ville, et dans mon quartier. »

Ma *houma*, comme il disait. C'est le seul mot arabe que Marise sache prononcer : *houma* ! Elle a appris à rendre le « h » aspiré ; elle peut même s'exclamer : « *Ya ouled el houma !* » exactement comme Berkane le disait ! Comme il le dira quand il reviendra : « Ô enfants de mon quartier ! »

Marise sécha ses larmes tout en considérant attentivement son visage dans le miroir :

– Ce visage qui va vieillir ! Qu'importe, il y a les fards et les feux de la rampe... Ô Berkane !

Après la dernière représentation du *Retour au désert*, encore mélancolique mais presque sûre d'elle, Marise s'installa chez Thomas.

Nadjia

1.

Décembre 1993

Cher Berkane,

Je t'écris de Padoue... Deux ans se sont écoulés déjà depuis notre rencontre et cela me paraît pourtant hier...

Tant pis si ma lettre risque d'être longue, mon ami... Je voudrais t'informer de ce que devient ma vie, loin des orages de notre pays...

Jusqu'alors (c'est-à-dire jusqu'à notre rencontre), je ne faisais que « bouger » : découvrir des contrées, ou simplement des villes, des paysages aussi, des gens avec lesquels souvent je ne partage même pas la langue, ni les souvenirs. J'ai fini par comprendre – assez récemment – que c'était en quelque sorte par volonté tenace d'inscrire partout mon oubli de mon propre pays ! Ma grand-mère est morte, mon père et ma mère ont encore deux enfants à « sortir d'affaire », comme ils disent (les études, leur avenir, etc.).

Alors, moi, Berkane, qu'est-ce que je deviens : une exilée, on dit si souvent l'exil mélancolique, pas le mien, non ! – une réfugiée, mais loin de quoi ? Une apatride, bien que je possède deux passeports et que je parle trois langues, comme si, une fois pour toutes, je m'étais dit : « Droit devant toi ! » Je sais pourtant que je ne fuis pas : j'oublie, ou plutôt, je veux oublier et pour cela, le mouvement, le déménagement, l'errance de rivage en rivage (je me contente de peu dans le quotidien) sont la règle. Je te raconte cela parce qu'en fait, après notre mutuelle connaissance (prenons ce terme au sens fort), j'avais rejoint mon ami italien à Alexandrie. J'y ai traduit un poète, né en cette cité glorieuse : Ungaretti. J'aurais dû ensuite aller vivre à Beyrouth, hélas, pour moi, ville défigurée...

Pendant quelque temps, j'avoue que je ne pouvais cesser de m'interroger à ton propos : « Pourquoi, toi, avais-tu décidé de rentrer ? » Non pas que je craigne la contagion de ton désir, non pas du tout !... Peut-être que, derrière cette hantise, c'était le besoin de penser à toi que je me masquais à moi-même. Ayant fait cette découverte, j'ai été logique, pour une fois.

J'ai commencé par dire au revoir à mon ami italien : alors seulement, j'ai compris que c'était l'Italie, en fait, que j'aimais en lui. Je l'ai quitté, très doucement, je lui ai promis sincèrement que je le considérerais désormais comme un vrai frère. Vraiment ! Il le mérite : il a été tendre, attentionné et, ce qui n'est pas facile avec moi, patient dans notre quotidien !

Bref, je suis partie. Adieu l'Égypte, aussi, et pas de détour par Beyrouth. Direct vers à la fois l'Orient et l'Italie : c'est pourquoi me voici, non à Venise, mais à Padoue, d'où je t'écris.

Dans cette ville et depuis de longues années, j'ai comme amies un groupe de quatre ou cinq femmes, solidaires et tout à fait exemplaires pour moi : jusqu'à maintenant, je les retrouvais, une fois par an, pour des vacances souvent sportives qui me requinquaient.

Ah, cher Berkane, comme c'est bon l'amitié entre femmes, quand elles sont indépendantes et chaleureuses... et délivrées, pour la plupart, des charges familiales et maternelles ! Non pas que je n'aime pas les enfants ! Un aveu, puisque tu es si loin : en te quittant, au cours de ces quelques jours assez pénibles (mon départ de ton village a été pour moi presque un arrachement), eh bien, dans ce malaise – où pourtant j'ai voulu t'oublier – quelque chose de nouveau m'est arrivé. J'avais souvent envie de pleurer, de pleurer en me réveillant chaque matin, et tu sais pourquoi : « Ah, me disais-je, si seulement je pouvais avoir un enfant de cet homme ! » Ma mère, si je m'étais confiée à elle, m'aurait dit :

– Enfin, ma fille aînée veut devenir une femme normale !

2.

Le lendemain : suite de ma lettre, et de mon récit

Mais je reviens à Padoue. Il m'a suffi d'envoyer un télégramme à mes amies – elles forment un groupe d'action culturelle et elles débordent toujours de projets pour les autres – leur annonçant mon arrivée ; je leur déclare que je veux étudier désormais et, pour cela, m'inscrire au prochain semestre de l'université. C'est une des plus vieilles d'Europe et, ce qui me rend fière, l'une de celles qui ont fait fructifier l'héritage de l'Andalousie.

Grâce à mes travaux de traduction de l'arabe et de l'italien, je peux me consacrer à des études d'histoire de la philosophie, et, avide enfin de savoir, me plonger dans la Renaissance ! Sur ma lancée, je me fais offrir, par une amie francophone du Caire, l'*Éloge de la folie* d'Érasme. Et je prends mon avion : il devait arriver à l'aéroport de Venise, en principe. Claudia et Anna devaient venir de Padoue par la route et m'attendre.

Moi, durant tout le voyage, je suis absorbée par la lecture de l'œuvre la plus célèbre d'Érasme. Je sais en outre qu'il a habité cette ville, au début des années 1500 : au fond, comme si le grand homme, en ombre perçue seulement par moi, allait me saluer à la descente ! Quelque chose comme : « Tu es chez toi et chez tes aïeux, ici ! »

Je lis, je lis ; je me dis que je finirai ce livre avant de commencer ma nouvelle vie ! Car je change ma vie : je deviendrai une érudite ; à trente-sept ans, je commence et je me donne cinq ans ! Pourquoi pas ? Derrière moi, l'Algérie, l'Égypte, mon « ami » devenu comme mon frère, et toi, là-bas, dans ton village, que je ne réussis pas à oublier...

Or, pendant cette ivresse qui accompagne ma lecture de néophyte, le monde continue de tourner : en Vénétie, l'hiver, il y a souvent beaucoup de brouillard et voilà que le pilote annonce que l'avion ne peut pas se poser comme prévu, qu'il ira jusqu'à Trieste. L'annonce est faite peu avant l'atterrissage. Je suis distraite ; je suis dans ma lecture et dans mes rêves.

Nous arrivons ; nous descendons. Je sors, assez légère : ma nouvelle vie est déjà devant moi ! Je ne vois pas mes amies : qu'importe, je vais les attendre, me dis-je. Je me sens si patiente et comme toujours, j'ai si peu de bagages !

Sur un banc, indifférente aux autres voyageurs, je m'assois et termine enfin le dernier chapitre de l'*Éloge de la folie*. Dans mon cas, cela devrait être « Éloge de... l'étourderie » !

Le livre terminé, je me fais tout un programme : dans une note, j'ai appris qu'Érasme, de son vivant, a écrit trois mille cent quarante lettres, toutes classées, répertoriées, et quelques-unes même, en français : je commencerai par celles-ci. Tant de travail qui m'attend à l'université !

Érasme à Padoue : coïncidence, c'est exactement lorsque les frères Barberousse s'installent à Alger. Aroudj d'abord qui fait étrangler dans son bain Selim et Toumi, le roi de Kabylie, et après lui, son frère Kheirreddine qui réussit à chasser les Espagnols du Peñon : c'est ainsi que l'histoire des rois d'Alger, violente et glorieuse, commence...

Je me lève enfin ; je n'ai pas vu le temps passer mais je vais aux nouvelles. Peut-être, me dis-je, que mes deux amies, empêchées sur la route par quelque ennui technique, m'ont laissé un message !

Au bureau des renseignements, je découvre que je suis à l'aéroport de Trieste, et non à Venise ! Qu'un premier car a déjà emmené les autres voyageurs – « Qu'à cela ne tienne ! me dis-je. Je prendrai le suivant ! » – et je demande que l'on téléphone, là-bas, pour avertir Claudia et Anna.

Toujours légère, je me pardonne à moi-même ma distraction ; je souris à peine au fantôme d'Érasme qui me frôle et me voici enfin dans le deuxième car : pendant une heure, au cœur de cette nuit d'hiver, je voyage avec l'équipe nationale de footballeurs, revenant en vainqueurs, semble-t-il, de Moscou. Ils chantent tout le long du trajet, comme des collégiens. « De grands enfants ! » me dis-je, condescendante.

Tu vois, cher Berkane, c'est un petit roman guilleret que je te fais là, pour le récit de mes retrouvailles avec l'Italie. J'embrasse mes deux amies qui se sont inquiétées. Le brouillard va encore nous retarder : arrivées aux abords de Padoue, la conductrice, Anna, ne voit plus rien ; nous tournons longtemps, comme des étrangers sans boussole. Enfin, la brume se disperse et ma gaieté est constante ; de retrouver l'amitié, l'Italie et, en plus, une nouvelle vie !

Pour résumer le tout : un brouillard intense m'attendait à mon arrivée en Vénétie mais je n'ai jamais vu plus clair en moi – espoir, légèreté et désir d'apprendre – qu'au cœur de ce brouillard de Padoue !

C'est alors qu'à trois heures du matin, m'apprêtant à dormir dans ce studio qui sera mon logis, oui, je me suis promis enfin de t'écrire, de te parler à cœur ouvert, te dire que je ne t'ai pas oublié.

Réponds-moi, il faut que tu me répondes, Berkane. Je suis sûre que je ne vais pas t'oublier à Padoue, surtout à Padoue ! Je te joins ci-contre une copie de la *Lettre sur les songes* d'Érasme – encore lui ! Une lettre qu'il envoie à deux élèves anglais... mais écrite en français. J'ai souligné deux ou trois phrases qui pourraient te servir de conseils aujourd'hui. Si tu n'es plus en sécurité (je lisais les nouvelles sur l'actualité algérienne dans le quotidien arabe du Caire *el Ahram*), viens à Padoue !

Mes amies ont déjà organisé une « hospitalité » pour des écrivains et des journalistes en danger. Réponds-moi : j'ai aussi envoyé mon adresse et mon téléphone à Driss, pour toi !

Je pense tellement à toi.

Nadjia

3.

Driss n'ouvre pas la lettre destinée à Berkane. Mais Nadjia a tracé quelques lignes amicales pour lui, sur une feuille pliée en deux, à laquelle est jointe une copie dactylographiée de la *Lettre sur les songes* d'Érasme de Rotterdam, écrite à Padoue, en 1508, à Thomas Grey et à son frère, étudiants à Louvain.

Elle y a souligné plusieurs phrases en rouge. Driss commence par les lire :

1 – « Cesse de battre la campagne et reviens à mes songes ! »

2 – « À Padoue, vint un Polacque, trois ou quatre hivers plus tôt : on m'en parle comme d'un savant homme, amateur du ciel. »

3 – « Je ne parle pas du ciel des anges... »

Et enfin, souligné plus fortement :

4 – Celui qui cherche, et plus encore celui qui trouve se doit de bien se garder des grands sots en bonnet... »

De la même encre rouge, Nadjia a ajouté des notes. « Pour Berkane, pour moi, pour elle ? » se demande Driss :

« La terre n'est pas le noyau du monde : c'est cette vérité que Nicolas Copernic, le Polonais, transmet à Érasme de Rotterdam qui demande, dès lors, à ceux qui "cherchent et qui trouvent" de se garder des sots ! »

« Vivez secrètement ! » conseille Érasme à ses élèves.

Si la terre n'est pas, en effet, « le noyau du monde », notre pays n'est, lui, qu'un couloir, qu'un tout petit passage entre l'Andalousie perdue et mythique et tout l'ailleurs possible !

Ô Berkane, ô Driss, pourquoi ne viendriez-vous pas tous les deux à Padoue ? Y vivre secrètement est presque délectable !

Nadjia

Driss, dans ce logement provisoire, se sent las soudain de ne plus savoir où dormir la nuit suivante.

Il faudra aussi parler au téléphone avec Nadjia : lui annoncer la disparition de Berkane, nouvelle qui vient d'être rendue publique. Driss, d'ailleurs, n'écrit plus d'articles : beaucoup doivent supposer qu'il s'est joint à l'exode des intellectuels.

Cette vie clandestine, et trop souvent de claustration, commence à lui peser : deux mois et demi, c'est long ! Il a besoin de sortir, boire des yeux la lumière du matin, retrouver à tout moment l'horizon marin, mais, pour cela, il répugne à modifier son apparence. Il a coupé ras ses cheveux ; il remet les blousons de ses vingt ans.

« Cela suffit ! » soupire-t-il. Il caresse le projet d'aller au village de Douaouda et même – pourquoi pas ? – de réhabiter l'appartement de son frère. D'attendre en somme le retour de Berkane ! Le directeur du journal a déconseillé vivement ce projet : « Dans ce cas, a-t-il tranché, il vaut mieux partir, comme les autres ! » puis, sur un ton plus doux, il a promis : « Tu pourras reprendre ta page hebdomadaire, le mois prochain ! »

Dans une insomnie qui le fait dresser d'un coup, il va boire un verre d'eau. Il examine dans le miroir, assez froidement, son visage maigre de « cible idéale pour les barbus ! » ricane-t-il. Il pense amèrement qu'il aurait dû plutôt se laisser pousser la barbe, pour être comme « eux » ; il ironise devant son reflet :

– Face-à-face nocturne avec un persécuté ! Deux solutions pour recouvrer la mobilité, dans cette « ville des tempêtes », comme dirait Berkane : choisir d'être barbu, avec un air hypocrite de dévot, mais je ne saurais pas ; ou alors, m'habiller en tchador des pieds à la tête et marcher ainsi, comme une femme se mouvant dans la ville ! Hélas...

L'image alors de Nadjia – lorsqu'il l'avait emmenée, la première fois, chez Berkane – envahit la pièce. Il se rappelle tous les documents de son frère dont il avait fait deux paquets remis à Marise, pour qu'au moins tout soit à l'abri, à Paris !

Dans la chambre de Berkane, deux feuilles agrafées avaient alors glissé hors des papiers en désordre. En les ramassant, il avait lu, par inadvertance, le titre, écrit en majuscules : *Stances pour Nadjia*. Sans réfléchir, il avait plié ces deux feuilles, avait hésité, puis les avait rangées au fond d'un des tiroirs, sous des mouchoirs et du linge de maison. Non seulement, il n'avait rien voulu lire, par respect pour le grand frère (même les grands frères restent parfois des petits garçons rêveurs !), mais il se demande à présent si, obscurément, il n'avait pas voulu surtout épargner Marise qui, à Alger, était vraiment inconsolable.

S'il devait habiter à son tour à Douaouda, maintenant qu'il ne gardait plus d'espoir au sujet de Berkane, Driss se dit qu'il lirait enfin ces pages, écrites sous forme d'un poème, semblait-il. Les envoyer aussi, après tout, à Nadjia : elles lui appartenaient. « Peut-être, se dit-il, vais-je ainsi résoudre cette énigme du retour de mon frère : pourquoi voulait-il, dans la solitude, écrire ? »

Dans son studio pour clandestin, Driss se

remet au lit. Il lit lentement la *Lettre sur les songes* d'Érasme. Tout somnolent, il se répète une phrase, soulignée par Nadjia : « Je ne parle pas du ciel des anges... »

C'est Érasme qui parle, ou peut-être Nadjia, ou Berkane, de là où il se trouve. Marmonnant les mêmes mots « du ciel, du ciel des anges ! » Driss sombre enfin dans la nuit.

New York, 2003

Les deux vers déclamés par Marise à la page 185 sont extraits du poème « Le Roi nu » de Claude-Michel Cluny.

DU MÊME AUTEUR

Prix Maurice-Maeterlinck (Bruxelles) – 1995.
International Literary Neustadt Prize (Etats-Unis) – 1996.
Prix international de Palmi (Italie) – 1998.
Prix de la Paix des éditeurs allemands (Francfort) – 2000.

Romans

LA SOIF, Julliard, 1957.

LES IMPATIENTS, Julliard, 1958.

LES ENFANTS DU NOUVEAU MONDE, Julliard, 1962.

LES ALOUETTES NAÏVES, Julliard, 1967.

L'AMOUR, LA FANTASIA, Lattès 1985 ; Albin Michel, 1995.

OMBRE SULTANE, Lattès, 1987. Prix Liberatur (Francfort) – 1989.

LOIN DE MÉDINE, Albin Michel, 1991.

VASTE EST LA PRISON, Albin Michel, 1995.

LES NUITS DE STRASBOURG, Actes Sud, 1997.

LA FEMME SANS SÉPULTURE, Albin Michel, 2002.

Nouvelles

ORAN, LANGUE MORTE, Actes Sud, 1997. Prix Marguerite-Yourcenar (Etats-Unis).

FEMMES D'ALGER DANS LEUR APPARTEMENT, Albin Michel, 2002.

Récit

CHRONIQUE D'UN ÉTÉ ALGÉRIEN, Plume, 1993.

LE BLANC DE L'ALGÉRIE, Albin Michel, 1996.

Essai

CES VOIX QUI M'ASSIÈGENT, Albin Michel, 1999.

Films (longs métrages)

LA NOUBA DES FEMMES DU MONT CHENOUA, 1978. Prix de la critique internationale – Biennale de Venise (Italie), 1979.

LA ZERDA OU LES CHANTS DE L'OUBLI, 1982.

Théâtre

FILLES D'ISMAËL DANS LE VENT ET LA TEMPÊTE, drame musical en 5 actes, 2000.

AÏCHA ET LES FEMMES DE MÉDINE, drame musical en 3 actes, 2001.

Composition IGS
et impression Bussière Camedan Imprimeries
en juillet 2003. – Dépôt légal : août 2003.
N° d'édition : 21889. – N° d'impression : 033132/4.
Imprimé en France.